Tudo bem não
alcançar a cama no
primeiro salto

John O'Hurley

Tudo bem não alcançar a cama no primeiro salto

E outras lições de vida que aprendi com os cães

Tradução

Carlos David Szlak

Ediouro

Título original
It's Okay to Miss the Bed on the First Jump

projeto gráfico e capa
Miriam Lerner

foto da capa
David de Lossy/ Getty Images

copidesque
Elvira Serapicos

revisão
Liciane Corrêa
Sheila Til

produção editorial
Maíra Alves

CIP-BRASIL. CATALOGAÇÃO-NA-FONTE
SINDICATO NACIONAL DOS EDITORES DE LIVROS, RJ

O34t O'Hurley, John
Tudo bem não alcançar a cama no primeiro salto: e outras lições de vida que aprendi com os cães / John O'Hurley; tradução Carlos David Szlak. – 1.ed. – Rio de Janeiro: Ediouro, 2007.
il.

Tradução de: It's Okay to Miss the Bed on the First Jump
ISBN 978-85-00-02280-7

1. O'Hurley, John. 2. Cão. 3. Relações homem-animal. I. Título.

07-2564. CDD: 636.7
CDU: 636.7

Rua Nova Jerusalém, 345 – Bonsucesso
Rio de Janeiro – RJ – CEP: 21042-235
Tel.: (21)3882-8200 – Fax: (21)3882-8212/8313
www.ediouro.com.br

Para meus pais, cuja primeira oportunidade que me deram, entre as tantas que me proporcionaram depois, veio sob a forma de um cão.

Para minha mulher, Lisa, que mostrou, aos nossos cães e a mim, um amor que nunca havíamos encontrado, e que me permitiu compreender por que eles gostam mais dela do que de mim.

Sumário

Prefácio

Começo com uma conclusão.

Meus cães tornam minha vida melhor. Não apenas meus cães atuais, mas todos os que dormiram em meu colo, correram pelos campos em que brincamos juntos ou se debruçaram nas janelas dos carros que dirigi. Eu os alimentei, segurei, acariciei o pescoço, afaguei a barriga e lhes atirei gravetos e bolinhas o mais longe que pude. Meus cachorros me perseguiram, me pegaram e me lamberam até eu me render. Cresci com eles e os vi crescer. Com muita tristeza, vi alguns morrerem. Algumas vezes, ajudei a curá-los, e, com mais freqüência, eles ajudaram a me curar. Ensinei coisas importantes a eles: como sentar, como cumprimentar com a patinha e como rolar pelo chão. Por sua vez, eles me ensinaram a acreditar na incessante bondade que parece emanar com tanta facilidade da sua natureza gentil e amorosa. Eles são os cães da minha vida.

No ensino médio, escrevi um poema para tirar proveito tanto da minha fascinação recém-descoberta pela língua, quanto do meu recém-desenvolvido turbilhão de hormônios adolescentes. Era um poema nada memorável, exceto por um único verso:

Sou daqueles a quem toquei, e o melhor do que eles são.

Essas palavras talvez sejam as mais proféticas que já escrevi a meu respeito. Ao longo dos anos, se desenvolvi algum senso de integridade, foi porque tive bastante sorte de ter visto e adotado exemplos de grandeza ao meu redor; dos meus pais, da minha mulher, da minha família, dos meus amigos e, sem dúvida, dos meus cachorros.

Enquanto seres humanos, tendemos a demonstrar nossa bondade em lampejos. Os cães, no entanto, vivem mais perto da sua essência e são mais constantes na sua bondade. Talvez seja por esse motivo que Deus nos deu os cães – como professores, ficam ao nosso lado em discreta vigília, serenos diante das preocupações ou das tristezas, mostrando-nos como viver o aqui e o agora.

Sou uma pessoa muito melhor com um cachorro em meu colo.

Os presentes preciosos chegam em embrulhos pequenos

Com 5 anos de idade, eu tinha certeza de que podia encontrar a resposta para qualquer pergunta importante numa lagoa. Mas não numa lagoa qualquer. Isso não acontecia numa superfície de água qualquer, como se fosse uma manifestação divina. Tinha de ser na minha lagoa. Aquela no fim da rua, escondida em um bosque da Nova Inglaterra, a algumas centenas de metros de distância da nossa casa em Natick, Massachusetts.

A lagoa era plácida e tinha o tamanho de um abraço. Era capaz de traçar mentalmente cada trilha em torno dela, embora certos trechos não fossem acessíveis para um menino de 5 anos. Só tinha ouvido falar a respeito deles. Havia uma espécie de observatório sobre uma pedra bem alta, de onde eu podia contemplar a maior parte do mundo. Avistava os trilhos da ferrovia a distância, onde algumas vezes o mundo passava por mim a caminho de outro lugar. Conforme a estação do ano, a vegetação se metamorfoseava: na primavera e no verão, era de um verde luxuriante; no outono, vermelho fogo; e no inverno, escassa e cinzenta. Sem dúvida, a lagoa era sempre um lugar especial. Nesse aspecto, Thoreau e eu sempre concordamos. Ele foi para sua lagoa para viver ponderadamente, e eu, para ponderar.

Eu tinha muitas perguntas que exigiam reflexão. Aos 5 anos, minha vida parecia bastante movimentada. Era o mais novo da turma que começava o primeiro ano da escola fundamental, e sentia o peso da responsabilidade. Era canhoto e escrevia da direita para a esquerda. Também escrevia os números ao contrário, por isso a professora precisava corrigir minhas lições de aritmética no espelho. Tinha cabeça pequena e orelhas de abano, como dois cachos de couve-flor presos num globo bem pequeno, e isso me preocupava. Minha aparência era ainda pior por causa do corte de cabelo à escovinha que meus pais consideravam muito elegante.

Também havia uma menina na nossa classe bem baixinha, dentuça e com pernas muito peludas. Os meninos de 5 e 6 anos, movidos por uma crueldade aparentemente inata, cercavam-na como uma matilha em torno de um animal abatido. Sempre fiquei dividido entre a vontade de me juntar ao grupo e a empatia com sua solidão.

No entanto, outro problema muito sério me atormentava. A classe era muito rebelde, mesmo para crianças de tão pouca idade. Antes de a professora sair da sala em seu intervalo, deixando a classe a sós, como acontecia naquele tempo, ela nos instruía a fazer a tarefa em absoluto silêncio, caso contrário ficaríamos na escola depois da aula. Eu cruzava as mãos com toda a força, rogando a Deus com o pouco que entendia naquela época para que, pelo menos uma vez, todos se comportassem. Ficar na escola depois do horário significava perder o ônibus. Perder o ônibus escolar era como cair num abismo, pois não sabia como voltaria para casa. Não tinha nem mesmo certeza de onde eu morava. E se não conseguisse voltar para casa, onde iria comer?

Inevitavelmente, a professora voltava para uma sala de aula que lembrava a retirada dos americanos do Iraque. A menina das pernas peludas fazia lição em silêncio, enquanto eu, com a cabeça enterrada entre os braços, inclinava-me sobre a carteira, deixando claro para a professora que não dera um pio sequer. Na realidade, fingia que estava quase caindo no sono e que não tinha nada a ver, mas nada a ver mesmo, com a balbúrdia ao meu redor. Não importava, pois todos ficavam de castigo. Teríamos de ficar na escola depois da aula, e eu nunca mais voltaria a ver minha família ou meu cachorro. Na minha cabeça, era um assunto encerrado. A injustiça de tudo aquilo era grande demais para eu suportar.

Começava a chorar, alto o suficiente para todos ouvirem, alto o suficiente para até a menininha de pernas peludas sentir pena de mim.

Os cinco minutos que a professora nos deixava de castigo, mantendo-nos sentados e em silêncio depois do toque do sinal, passavam como um conta-gotas. Dividia minha atenção entre a firmeza de seu olhar e a imagem do ônibus amarelo visível através da janela, quase lotado. Finalmente, a professora dizia: "Dispensados", mas eu ouvia: "Vão e voltem vivos."

O ônibus escolar esperava; os culpados e os inocentes entravam, e eu conseguia voltar para casa. Mas sentia que era apenas um alívio temporário, e todos os dias, quando a professora saía da sala para tomar café e fumar, eu suplicava para que a turma se comportasse, o que só servia para atiçar as chamas da desordem. A professora voltava, eu chorava, e ficávamos de castigo depois da aula. Na realidade, um dos meninos me disse que a maioria deles fazia bagunça porque gostava de me ver chorar. Basicamente foi assim o primeiro ano da escola fundamental, e meu primeiro contato com a injustiça social.

Por isso, tinha muito para refletir na lagoa. Ali, eu compunha canções em minha cabeça e, de vez em quando, um poema, mas, na maioria das vezes, eu simplesmente ficava pensando e tentando pegar tartarugas. Anos depois, minha mãe lembrou que uma das mães da vizinhança dizia que eu estava sempre muito triste.

Eu não estava triste. Estava sempre pensando e tentando capturar tartarugas.

Além disso, nunca estava sozinho. Percorria aquelas trilhas durante horas depois da escola e durante todo o fim de semana com Taffy, uma dachshund, minha primeira cadela. Sempre achei que Taffy tinha um jeito engraçado. Pequena, pernas curtas e esguias, corpo em forma de tubo, rebolava animadamente enquanto me seguia, sem questionar meu caminho e sem perder o significado de cada instante. Sentado sobre a pedra que se projetava sobre a lagoa, eu fazia perguntas a ela. Perguntas do tipo: se eu era um ator, e eu sabia que era – na minha cabeça, a luz da platéia ia diminuindo de intensidade ao terceiro sinal –, por que não fora escolhido para um papel com fala no esquete *Quatro e vinte melros* que encenamos na escola?

Taffy sempre percebia quando eu lhe fazia uma pergunta. Inclinava a cabeça ligeiramente, como se isso a fizesse compreender melhor o meu dilema. Em seguida, lançava um olhar fixo, sem pestanejar, indicando que estava interessada. Não era capaz de me dar a resposta: que a professora havia escolhido para o elenco com falas os alunos que sabiam ler melhor, enquanto eu ainda estava tentando adivinhar qual lado da página deveria ler. Mas a resposta não era importante. Tornei-me um ator apesar do revés momentâneo, embora ainda murmure aquela canção infantil de tempos em tempos, avaliando seu impacto sobre a minha carreira. Talvez esse seja meu *Hamlet* para sempre.

Não importa. Naquele momento, Taffy me ensinou com seu silêncio e companheirismo que os problemas e as desilusões perdem força quando expressos em palavras. Foi uma boa lição entender tão cedo que as respostas nem sempre são importantes; elas vêm com o tempo. Ao transmitirmos verbalmente uma preocupação, nós a tiramos da imaginação, onde pode crescer, infeccionar e nos causar danos consideráveis. Assim, eu falava com Taffy o máximo possível.

Apesar da humilde sabedoria, Taffy tinha suas manias. Estava sempre metida em encrencas. Na maioria das vezes, a culpa não era dela. Quase sempre havia um gambá envolvido na história. A mata em torno da lagoa estava cheia deles, e Taffy, além de curiosa, também era defensora ardorosa do seu território. Ela era fanática por gambás. No verão, praticamente uma vez por mês, meu pai tinha de dar um banho em Taffy com suco de tomate para eliminar o cheiro fétido de seu último mergulho de curiosidade.

Para mim o gambá era uma criatura desconcertante. Eu havia aprendido na escola que tudo tinha um propósito, mas não conseguia entender que finalidade poderia ter um gambá nos diferentes estágios da vida. E, mesmo já adulto, ainda não consigo imaginar que parte da cadeia alimentar seria afetada se excluíssemos os gambás.

Para piorar a situação, Deus parecia ter ampliado o erro, reproduzindo os gambás na forma de vegetação. A mata em torno da lagoa estava repleta de plantas com folhas verdes e largas que cheiravam tão mal quanto os gambás quando atacadas pelo salto de um sapato. Normalmente, Taffy via tudo de uma altura de 25 centímetros do solo, exceto nas ocasiões em que eu a erguia, permitindo que tivesse uma visão rara do mundo a partir da minha altura. Enquanto desbravava o caminho à minha frente, inevitavelmente esmagava uma folha daquela planta malcheirosa, que respingava em Taffy, e meu pai mais uma vez tinha de torná-la ingrediente de um grande e estimulante *bloody mary*.

Certo dia, depois de ter mordido o carteiro, Taffy saiu de casa na companhia do meu pai e não voltou. Isso me deixou arrasado. Lembro-me de ter ido até a lagoa, consciente de que não a veria ali nunca mais. Meus pais não me deram detalhes sobre o sumiço de Taffy. Disseram apenas que ela não deveria ter mordido o carteiro. Até hoje, nunca mordi um. Acho que Taffy também me ensinou isso.

No fim do primeiro ano da escola fundamental, nós nos mudamos para outro estado. Assim, também perdi a lagoa. Ao longo dos anos, pensei muitas vezes em Taffy e na lagoa, inseparáveis em minha memória. Sinto-me uma pessoa de sorte por ter tido uma companheira como Taffy e um lugar como aquele num dos momentos mais importantes da minha vida. Foi uma fase de muitas descobertas, em que eu tentava compreender circunstâncias e sentimentos inteiramente novos. Naquele momento era fácil se transformar em seu próprio incidente inevitável, como fiz com minha cabeça enterrada numa carteira escolar do primeiro ano do fundamental.

Recordo-me do olhar curioso de Taffy quando falava para ela sobre todo tipo de assuntos, e aprendi que o dom está no ato de ouvir, e não no de responder. Aprendi a não agravar um problema ocultando-o; era melhor apresentá-lo ao mundo por meio das palavras. Quando olhava para trás e via Taffy procurando um caminho no meio das plantas malcheirosas, parando apenas por um instante para um farejo significativo, aprendia com ela que cada jornada tem um motivo, e que devíamos nos deter o tempo suficiente para não perder o significado de cada instante.

Até hoje, espero que a menina com pernas peludas também tenha aprendido o mesmo.

Depois de Taffy, tive muitos outros cachorros. Atualmente, possuo dois. Enquanto escrevo estas palavras, os olhos de ambos me contemplam. A cadela preta é Betty, uma vira-lata que encontrei abandonada nas colinas de Hollywood há seis anos. Ela é uma mistura de dachshund e labrador preto – caso seja possível imaginar algo tão doloroso quanto isso. A mãe devia ser uma dachshund muito vagarosa – ou, se o dachshund era o pai, deve ter sido o salto mais espetacular de sua vida. No entanto, Betty é uma mistura feliz, que parece um filhote de labrador tanto no tamanho quanto na energia. Ela era frágil, traumatizada e barbuda – isso mesmo, barbuda – quando a resgatei. Ninguém sabe quantas semanas ou meses ela passou se escondendo dos coiotes. Atualmente, acredito que ela expressa a simples alegria de viver de qualquer criatura que esteve à beira da morte. Ela me observa atentamente, esperando por qualquer sinal de que levantarei da cadeira ou deixarei o quarto. Caso isso aconteça, ela se levanta e me segue, como se quisesse mostrar que nada do que pretendo fazer pode ser mais interessante do que seus planos.

O outro cão é Scoshi, um pequeno maltês branco, cuja personalidade alfa a idade está começando a acalmar. Ele me acompanha a todos os lugares. Neste momento, Scoshi está com os olhos semicerrados. Outro cochilo se aproxima e, enquanto eu estiver sentado nesta cadeira, escrevendo, acompanho seu ritmo.

Acho que, como tive a companhia de cachorros durante toda a minha vida, e como ainda me espanto com as verdades simples da existência, essas duas coisas são inseparáveis. Já tive outros bichos de estimação. Ficava extasiado com as tartarugas da lagoa e com os sapos da mata. Entretanto, as tartarugas não ensinam muita coisa. De fato, se um menino de 5 anos pode apanhá-las, então elas realmente não têm condições de ensinar grande coisa.

Lembro-me de uma tarde em que capturei 27 sapos na lagoa. Na ocasião, não tinha consciência de que, ao capturá-los e prendê-los, poderia afetar o delicado equilíbrio da natureza. Eu os prendi em uma caixa debaixo de uma escada, perto da entrada de carros da minha casa. Aparentemente, em vez de tentarem escapar um a um, os sapos planejaram uma fuga em massa, mas, infelizmente, bem no momento em que minha mãe tirava nosso Chevy 59 da garagem. Foi um massacre. Não aprendi nada com os sapos.

Depois dos sapos, meti-me com porquinhos-da-índia, camaleões, peixinhos dourados, camundongos, outros camundongos, e, por fim, tive uma obsessão adolescente por cavalos. O que se espera da ligação entre um cavalo e seu dono? Mesmo quem adora cavalos tem de admitir que, se você for atacado, seu cachorro será o primeiro a vir em sua defesa; até Scoshi despertaria de seu cochilo para me ajudar, dando uma ou duas mordidas no agressor. Isto é, desde que não fosse um carteiro – isso ainda está fora de cogitação.

A fidelidade canina é um clichê, mas a capacidade de um cachorro dar sentido à vida, tanto em termos de alegria como de profundidade, é limitada apenas por seus anos de vida e só pode ser avaliada por aqueles que se dispõem a prestar atenção nele. Descobri muitas verdades que se aplicam à nossa vida e à deles. (Todas as pessoas que têm um cão parecem ter uma história pessoal para confirmar essa idéia.) Apresento aqui a minha história, com tanta comoção e alegria quanto ela se apresentou para mim. É minha maneira de compartilhar experiências maravilhosas vividas ao lado de Taffy, Betty, Scoshi e todos os outros cães que marcaram presença em minha vida, sem perder o sentido que essas experiências encerram.

Quando um cão latir, escute

Recentemente, estava dublando Star Johnson, personagem a quem empresto a voz em *Duck Dodgers*, série de desenho animado para a tevê. A certa altura, o roteiro pedia que eu latisse como um cachorro. Ao chegar o momento de latir, inclinei-me sobre o microfone, preparei a boca e imitei um latido. Através de um vidro, vi a expressão da diretora na sala de edição. Ela não gostou do meu desempenho e pediu que eu repetisse.

– Au, au! – voltei a latir.

O som da voz saiu mais alto, mas o latido não melhorou. Tentei diversas vezes, até que outro ator da gravação me interrompeu para explicar que se imita o latido de cachorro inspirando o "au-au" até o abdome, e não soltando a respiração pela boca. Nunca tinha pensado nisso. Era fascinante. Experimentei o método, e, enfim, consegui latir.

Desde então, sou capaz de enganar qualquer cão. Meu latido – e a fascinante ciência por trás dele – é agora um ingrediente precioso das trivialidades que sirvo de bandeja num bate-papo de coquetel.

O simples fato de considerar um latido canino admirável talvez invalide qualquer outra observação que eu faça, mas há algo tão interessante quanto instrutivo no que é, com efeito, um dos maiores aborrecimentos da natureza: o latido.

Outra coisa estranha é o fato de ter passado quatro dias num carro com Scoshi até descobrir sua mensagem e significado.

Aparentemente, era a experiência literária perfeita: cruzar o país, de Nova York a Los Angeles, num carro esporte conversível com apenas um mapa e um cachorro. Uma narrativa no estilo "pé na estrada", vivendo cada momento entre uma parada e outra para descansar. Uma chance de me ligar a Scoshi enquanto ele dormia no assento reclinável do passageiro, embalado pelo zunido dos pneus sobre a pista molhada. Então, minha mente começou a vagar – em primeiro lugar, pela tranqüilidade do momento; depois, pelo significado da viagem; e, por fim, pelo significado do significado, que, é claro, não fazia sentido algum. Mas aquela era a chance de viver poeticamente por alguns dias; apenas um homem, um mapa e um cão. E assim foi... Naquela noite, em 1994, segui na direção da ponte George Washington, enquanto a chuva batia no pára-brisa do carro, criando a atmosfera perfeita. Perfeita também foi a idéia de começar a viagem à noite, pois nada como a escuridão para aguçar os sentidos.

A viagem marcou o início do fim do meu primeiro casamento, por isso não foi uma época muito feliz. A melancolia do momento fez com que eu valorizasse o que tinha, o que estava perdendo e a inestimável ligação com o pequeno corpo branco roncando baixinho perto de mim.

Scoshi fora um presente da minha primeira mulher, cerca de três anos antes do nosso casamento. Ele tinha apenas 6 semanas de vida quando o peguei pela primeira vez, uma coisinha que lambia e mordia e mal cabia na palma da minha mão. O nome Scoshi era perfeito – uma versão da palavra japonesa *sukoshi*, que significa "pedacinho". Ele tem focinho e olhos em forma de botões pretos e seu pêlo branco é curto. Lembra um pequeno mineiro de carvão barbado usando ceroulas brancas. Aparentemente, sou o único que acha essa imagem engraçada. Scoshi tem o estranho hábito de balançar a cabeça quando lhe fazem qualquer pergunta. Dá a impressão de ter entendido tudo, menos a última palavra, que ele tenta adivinhar. Esse ar de espanto permanente dá a impressão de que uma bombinha acabou de explodir diante da sua cara.

Soube que Scoshi era o *meu* cachorro assim que o vi. Logo o ensinei a dar a pata, deitar, rolar e dançar em círculos sobre duas pernas na hora do jantar. Ele me deixava acariciar seu dorso e afagar sua barriga enquanto o segurava como um bebê. Punha-o de costas, agarrava suas patas dianteiras e o lançava, fazendo-o deslizar sobre o piso de madeira. Não sei o que me levou a fazer isso pela primeira vez, mas Scoshi sempre gostou dessa brincadeira. Havia uma linha de comunicação direta entre nós, expressa principalmente pela natureza comovente dos seus olhos sempre arregalados. Ele balançava a cabeça e ouvia, ouvia e balançava. Era o que eu mais precisava naquela longa viagem.

Que fique bastante claro: Scoshi também é um macho alfa, ou seja, é um animal que protege seu território. Possui personalidade forte, que não costuma agradar as pessoas quando encontra um bom motivo para disparar num acesso de energia. Quando cria um vínculo com um ser humano, é o suficiente. Os outros que se cuidem.

Scoshi direciona grande parte da sua hostilidade para os seres da sua espécie. Morde antes e cumprimenta depois qualquer cão que atravesse seu caminho. Mas, dentro do carro naquela noite escura, a tranqüilidade desmentia tudo isso. Os olhos de Scoshi permaneciam fechados, e a barriguinha rosada subia e descia no ritmo dos limpadores do pára-brisa. Os roncos quase inaudíveis se manifestavam numa cadência parecida com um jazz de fim de noite enquanto rumávamos para a Califórnia.

É bem possível que a empolgação com a viagem tenha sufocado por algum tempo boa parte das emoções relacionadas ao que estava acontecendo em minha vida naquele momento. Graças à sensação de aventura adquiri uma resistência que me permitiu ficar acordado até bem tarde da noite. Parei num posto de caminhoneiros para tomar café, participando brevemente do mundo dos homens que varam a noite na estrada. Sentado em uma das mesas do restaurante, folheei as revistas especializadas, vendo as páginas dos anúncios classificados com ofertas para o transporte de cargas. Experimentei comida de caminhoneiro, o que significou acrescentar um bife aos ovos na refeição. Ainda passeei com Scoshi no meio de um mar interminável de cabines e reboques estacionados, deixando-o erguer a perna para marcar seu pequeno território nas rodas daqueles gigantes.

Nós nos familiarizamos com os caminhões durante a noite, ultrapassando-os e sendo ultrapassados por eles na estrada. Era como se todos tivéssemos pego a crista da mesma onda na direção oeste, onde eles descarregariam seu material, e Scoshi e eu começaríamos o próximo capítulo da nossa vida.

Estávamos viajando havia quase 24 horas quando decidi fazer a primeira parada para passar a noite. Scoshi dormira em todas as posições e lugares possíveis no carro. No banco da frente, no banco de trás, e até introduziu-se à força entre o meu pescoço e o apoio para a cabeça, dormindo com o rosto achatado contra o vidro da janela lateral. Às vezes, acordava, escalava o console do carro, sentava e ficava me observando. Eu conhecia bem aquele olhar. Tinha múltiplos significados. Daquela vez, estava dizendo: "Papai, podemos trocar de banco?"

Na realidade, deixei que Scoshi dirigisse um pouquinho. Em uma reta extremamente longa perto de Amarillo, no Texas. Um trecho lindo da estrada – para quem consegue ver beleza na aridez do deserto. Pus Scoshi em meu colo e coloquei suas patas dianteiras sobre o volante. Ele ficou de pé sobre as pernas traseiras, e sua noção natural de equilíbrio manteve o carro em linha reta por quase vinte minutos. Eu o acariciava enquanto ele dirigia. Era um acordo justo, quaisquer que fossem as regras. Também inclinei meu banco para trás, de modo que minha cabeça ficou escondida pela coluna que separa a janela lateral dianteira da traseira. Quando os carros nos ultrapassavam e os ocupantes olhavam para nós, surpreendiam-se vendo um homenzinho de barbas brancas, com ceroulas, dirigindo um carro esporte último modelo.

Mas chegou a hora de descansar. Os hotéis e motéis à beira da estrada interestadual que atravessava Amarillo eram indescritíveis. Cartazes anunciavam o preço do pernoite, prometendo uma noite inesquecível. Comecei a jogar pôquer com os preços: 15,95 dólares o pernoite... 14,95 dólares o pernoite... 13,50 dólares o pernoite... e, finalmente, 12,95 dólares. Isso mesmo, uma noite de sono reparador para dois por apenas 12,95 dólares.

A janela de acrílico grosso e amarelado me separava do gerente que cochilava. Era uma espécie de Woody Allen desleixado, se Woody alguma vez fosse visto usando trajes country. O homem ficou ligeiramente surpreso quando bati na janela com a chave do carro para perguntar a respeito de um quarto para passar a noite. Ao que tudo indicava, já fazia algum tempo que não aparecia alguém. O estacionamento da frente estava vazio.

Scoshi tinha ficado no carro, o que foi bom. Havia um aviso pregado na janela, com letras maiúsculas grandes e em negrito: "ABSOLUTAMENTE PROIBIDO ANIMAIS DE ESTIMAÇÃO". Era, naturalmente, um aviso muito mais incisivo do que simplesmente "PROIBIDO ANIMAIS DE ESTIMAÇÃO", o que deixava claro que alguém já havia infringido a regra. Logo abaixo desse aviso, havia um desenho também hostil, mostrando um cão dentro de um círculo, com uma tarja vermelha cortando esse círculo na diagonal. Aparentemente, era um símbolo universal para a multidão de turistas internacionais que procurava aquele encantador pardieiro justamente para testar a força daquele aviso prévio. Woody me fez pagar os 12,95 dólares do pernoite antes de me entregar a chave do quarto.

Nosso quarto ficava nos fundos do motel, por isso fui dirigindo com uma das mãos no volante e a outra no focinho de Scoshi, para impedir que ele latisse e chamasse a atenção de alguém. Havia uma dúzia de carros estacionados nos fundos, o que significava que não estávamos sós. Sem dúvida, Woody Allen estava ocupando o lugar de trás para frente o lugar naquela noite, uma decisão administrativa que me confundiu completamente, e que confundiria qualquer pessoa que estivesse muito cansada para compreender.

Mal pude sentir a potente iluminação de 60 watts do teto, pois Scoshi logo começou a correr pelo aposento, de um canto para o outro, avaliando o terreno estranho que agora teria de defender. Desapareceu no banheiro, que tinha o tamanho de um pensamento fugaz, e voltou rapidamente. Deu um salto e começou a fazer um exame olfativo da cama, que era grande o suficiente para meu corpo, mas tinha uma concavidade explícita no centro, talvez para fins de drenagem. Ele então se enfiou entre os travesseiros, erguendo cada um e rolando sobre eles para impregná-los com seu cheiro. No fim, endireitou-se e olhou para mim, o pêlo todo desgrenhado, como uma boneca de pano depois de uma balada. Então, balançou a cabeça para mim, dizendo: "Tudo bem, papai, o lugar é seguro."

Deixei Scoshi sobre a cama e fui tomar banho. Enquanto desembrulhava o sabonete de cortesia, cujo tamanho reduzido desestimulava qualquer um a levar qualquer sobra, percebi que a água do chuveiro tinha uma cor que lembrava o tom âmbar das águas do rio Ganges.

Tive a sensação de limpeza que se tem ao usar roupas lavadas naquele rio pelas lavadeiras desbocadas de Nova Délhi. O tamanho da toalha era proporcionalmente comparável ao do sabonete, de modo que em caso de incêndio e fuga às pressas do quarto, poderia cobrir a parte da frente ou a de trás do corpo, mas não ambas. E, como toque de ironia final, o pequeno tapete de papel sobre o qual eu estava postado reproduzia as palavras "Muito Obrigado" em letras cursivas. São justamente esses toques de gentileza que esperamos quando decidimos abrir a carteira e romper a barreira dos 10 dólares.

Puxei o cobertor e o lençol de cima e me ajeitei na "canoa". Os lençóis eram ásperos e me fizeram lembrar da calça de flanela cinzenta que eu usava na escola católica. Tentei ficar deitado em perfeita imobilidade, sabendo que, se me mexesse e me virasse, as felpas dos lençóis arrancariam os pêlos das minhas pernas. Scoshi também se instalou, imitando minha posição. Com a cabecinha sobre o travesseiro, olhava para mim da maneira como minha mulher costumava fazer. Agora que ela não estava mais comigo, era como se Scoshi soubesse que teria de ocupar seu lugar. Os cães possuem esse instinto. O sentimento de perda e a delicadeza daquele pequeno gesto me levaram às lágrimas pela primeira vez desde que havíamos deixado Nova York.

A intimidade do momento, no entanto, evaporou-se assim que apaguei a luz. Aparentemente, o casal do quarto vizinho estava assistindo à tevê e não conseguia chegar a um acordo sobre o canal. A discussão se acirrou, avançando sobre outras áreas do descontentamento conjugal, e não demorou para que eles começassem a brigar aos berros. Depois de ter gasto todo o dinheiro nos apetrechos do banheiro, aquele refinado estabelecimento havia ficado sem recursos orçamentários para criar algum tipo de isolamento acústico entre os quartos. Dessa maneira, a briga deles virou nossa briga.

Foi então que Scoshi decidiu participar. Pulou do travesseiro, rastejou até o centro do quarto e depois voltou para o pé da cama. E começou com O Latido.

É difícil para um escritor como eu tentar expressar, em palavras, o som de qualquer latido, ainda mais daquele. "Au-au" parece muito suave e fofo. "Ahu-Ahu" tem certo mérito, mais ainda parece abafado e carece de estridência. O latido de Scoshi é muito claro, uma emissão a plenos pulmões, com arremate curto, delicado, como num *stacatto*. O tipo de som que se espera quando alguém grita um palavrão de modo bem estridente. Um latido mal termina e o próximo já começa. O som consome praticamente todas as calorias que Scoshi tem para queimar, e quando os latidos começam não têm fim.

Tentei acalmá-lo. Mandei que ficasse quieto. Prendi seu focinho com as mãos. Até o levei para o banheiro, pensando em distraí-lo com uma estimulante mudança de cenário. Nada adiantou. Ele tinha questões a tratar com as pessoas do quarto ao lado e estava disposto a levá-las a uma instância superior. Scoshi estava se transformando no cachorro da placa com a tarja vermelha na diagonal.

Assim, não tardou para que Woody Allen viesse bater na porta do nosso quarto. Era o tipo de batida que soava como uma advertência, o tipo de batida que não pedia desculpas pela interrupção. Foi também o tipo de batida que parecia ter anunciado o apocalipse para Scoshi, e ele passou a latir como uma metralhadora giratória. Projetou seu pequeno corpo na direção da porta do quarto, afastando-se mais de 1 metro da cama, para que Woody soubesse que a coisa poderia descambar para a violência física.

– O senhor tem um cachorro? – foi a saudação de Woody. O fato de o animal que eu estava segurando pela coleira estar disposto a pegá-lo pelos tornozelos fazia qualquer resposta parecer sem sentido. – Não aceitamos cachorros aqui – ele disse, para me lembrar de que eu não havia lido o aviso ao me registrar. – O senhor não viu os avisos na recepção?

Novamente, fui pego pelo óbvio.

– Sinto muito. Estou realmente cansado. Acho que não vi os avisos – murmurei, mostrando humildade, procurando confessar a culpa por um crime menor.

– Já recebi uma queixa. Passe na recepção para a devolução do dinheiro.

Assim foi; o casal do quarto ao lado tinha nos delatado. Depois de trinta horas de uma viagem épica através do continente, estávamos sendo expulsos do motel mais barato dos Estados Unidos. Como se celebrasse a santidade do momento, Scoshi se calou de imediato.

Juntei rapidamente nossos pertences e os recoloquei na mala. Scoshi procurou um novo lugar no carro para descansar. Um envelope com dinheiro me aguardava no balcão da recepção. Woody Allen estava ao telefone e nem se deu o trabalho de erguer os olhos. Talvez estivesse falando novamente com o casal do quarto ao lado, pois antes de sair liguei a tevê, sintonizei no canal de "ofertas imperdíveis" e deixei o volume no máximo. Foi minha maneira de "erguer a perna e deixar minha marca".

Voltamos para a estrada, e pouco depois encontramos um lugar para pernoitar que aceitava cães e também seus infelizes donos.

Depois disso, a viagem passou a ter menos caráter de aventura e mais de reflexão. Deixei Scoshi dirigir o carro de novo, divertindo os ocupantes dos veículos que nos ultrapassavam. Mas minha mente se encheu de pensamentos, alguns importantes e outros muito insignificantes. O mais curioso de todos, no entanto, tinha a ver com O Latido.

Eu não podia criticar Scoshi por latir. Naquele instante, ele estava enfiado entre as caixas no banco traseiro e já nem se importava mais com o que havia acontecido. Eu também havia lambido as feridas e esquecido o constrangimento do incidente da noite anterior.

Havia, porém, algo de admirável naquele latido, que o tornava digno de atenção.

Tanto quanto o cheiro, o latido é a assinatura de um cão. Cada latido é uma declaração de existência plena e clara: "Sou capaz de latir, logo existo." O latido é desenfreado, original e despudorado. Possui caráter individual e significado específico. E, estranhamente, todas essas características são os mesmos elementos que, com muita freqüência, distinguem o latido da voz humana.

Recentemente, estava no balcão de uma companhia aérea fazendo o *check in*. Perto de mim, havia uma mulher com dificuldade para chamar a atenção de alguém para pedir uma informação. "Por favor", ela murmurava de modo tímido. As pessoas não a notavam, nem ela conseguia atrair a atenção de quem quer que fosse. Exceto a minha. Percebi seu apuro e solicitei ao funcionário que me atendia que a ajudasse. A mulher me agradeceu num tom quase inaudível e depois se afastou.

"Que triste", pensei, "passar pela vida sem um latido". Viver sem conseguir produzir um som suficientemente significativo para dizer que suas preocupações merecem atenção. Pensei a respeito de Scoshi no quarto do motel lançando sua advertência. Pensei a respeito de cada cachorro que já uivou para a Lua. Nenhum cão late sem comprometimento total em relação ao som e ao significado desse gesto verbal.

Exceto por um defeito físico, a maioria de nós sempre diminui o tom de voz. Enquanto somos pequenos, todos nós latimos. Expressamos isso por meio do choro. Quando uma criança chora, vemos o uso adequado da voz humana. Focalizado perfeitamente na máscara facial e suportado de modo pleno pelos músculos abdominais, o choro de uma criança é a expressão perfeita. Logo, no entanto, pedem para que não choremos mais. Quando aprendemos a falar, pedem para que falemos em voz baixa. Crescemos editando o som da nossa voz. Os cães não sabem fazer isso. Eles crescem com um latido que possui um único interruptor para ligar e desligar.

Ao longo do tempo, alguns de nós desenvolvem hábitos preguiçosos que obstruem a voz. Colocamos a voz tão na parte posterior da garganta que podemos sofrer uma distensão das cordas vocais em algo tão emocionante quanto um jogo de futebol. Algumas pessoas perdem a voz depois de uma tentativa particularmente ambiciosa num karaokê (o que sempre considerei a atividade perfeita para pessoas que não deveriam beber ou cantar).

Um cão nunca força ou perde a voz. O labrador preto de uma casa vizinha à nossa, aqui em Los Angeles, confirma essa premissa todos os dias. Ao amanhecer, durante trinta minutos, escutamos seu latido corretamente colocado, adequadamente sustentado e que merece atenção. E se eu fosse capaz de atirar um chinelo a meio quarteirão de distância, seria para cumprimentá-lo por seu barulho.

Por instinto, os cães falam corretamente. Imagine o sucesso que faríamos se usássemos nossos latidos. Imagine que impacto causaríamos se falássemos com a ressonância plena e natural da voz, sem encobri-la com uma colocação insatisfatória e uma enunciação desmazelada. Imagine se usássemos nossa voz como instrumento genuíno de comunicação e não como veículo para desculpas.

Muitos de nós aprendem a não gostar do som da própria voz, talvez porque a tenham ouvido em uma gravação da festa de casamento de um amigo ou na secretária eletrônica. No entanto, a verdade é que nenhum microfone consegue captar a variação plena da voz humana. Os microfones captam um som chapado, unidimensional. Os estúdios de cinema gastam boa parte de seus orçamentos com especialistas de som, que procuram recriar o que ouvimos naturalmente quando alguém fala. Os cães nunca pensam sobre a sonoridade de seu latido – estão sempre ocupados demais tentando fazer alguma coisa com ele.

Estranhamente, todos nós falamos de modo correto em certos momentos, e não nos damos conta disso. Quando queremos pegar um táxi na rua, falamos corretamente. Tente falar "Táxi, táxi" com a mesma meia-voz contida usada para dizer "Alô?" ao atender o telefone – ficará na rua durante muito tempo. Neste caso, o volume em si não é o problema. A ressonância e o suporte vocal levam a voz muito mais longe do que o volume. Mesmo o menor dos cães pode ser ouvido a quarteirões de distância.

Os cães também são abençoados com outra virtude: o silêncio. Eles latem porque precisam latir, como se tivessem um senso inato de auto-edição. Um cão jamais terá de se retratar pelo que disse. Um cão jamais expressará uma mentira com seu latido. Um latido sempre diz a verdade.

Essas foram as lições dessa parte da nossa viagem. Tenho certeza de que existiram outras, mas essas são as que ficaram comigo. Um latido diz quem somos e o que pretendemos. Talvez, se tivesse usado o meu latido com mais sabedoria, meu primeiro casamento não tivesse acabado de modo tão abrupto. Talvez essa viagem não tivesse sido necessária. Nunca saberei.

Desde então, muitos anos se passaram, e meu parceiro naquela viagem agora repousa aos meus pés, incapaz de ouvir. Os anos o privaram dessa capacidade, e hoje em dia ele late, suponho, por força do hábito. Ele também está um pouquinho mais cambaleante. Neste momento, vejo-o tentando coçar a orelha com a pata traseira sem perder o equilíbrio. No entanto, Scoshi conserva o mesmo olhar gentil, assim como o leve balanço da cabeça, para indicar que a vida ainda é maravilhosa para ele. Nossa viagem pelo país foi uma jornada através da minha vida. Já comi em lugares muito estranhos e parei em certos lugares onde não era absolutamente bem-vindo, às vezes até marcados com um círculo e uma tarja vermelha para que isso fosse bem entendido. Mas, para fazer a viagem, para viver e ter controle sobre a vida, você tem de ser ouvido. Você precisa ter um latido.

Tudo bem não alcançar a cama no primeiro salto

A verdadeira medida do sucesso não está naquilo que acontece conosco, mas sim no que fazemos a respeito disso. A maneira como fracassamos e nos recuperamos diz muito sobre o caráter das nossas realizações. Minha vida está cheia de provas da verdade inerente a essa premissa. Recentemente, essa lição foi demonstrada de modo emocionante por alguém que pode ser considerada a mais estranha das professoras: minha cadela Betty.

À primeira vista, Betty não parece dotada dessa espécie de grandeza. Não é necessário observá-la durante muito tempo para perceber que ela é constituída de peças sobressalentes. Por se tratar de uma cadela abandonada, nunca tive certeza de sua origem, mas a maioria dos veterinários a considera uma mistura de dachshund com labrador retriever preto. Essa combinação a deixou com eterna aparência de filhote. Sua pelagem é preto-azulada, com um lustro de brilhantina tipo Elvis Presley, incluindo eventuais mechas de pêlos grisalhos, que suponho serem tanto um sinal da sua idade quanto um sinal da sua simpatia pela minha.

Suas pequenas orelhas nunca têm certeza do lugar em que devem ficar. Na posição original, caem em dobras, como se fossem pequenos toldos. No entanto, depois de um ligeiro movimento muscular, uma delas vira ao contrário e fica desse jeito até Betty sacudir a cabeça, ou até que minha mulher ou eu mesmo a desviremos. Quando está prestando atenção em alguém, ela é capaz de fazer as orelhas dançarem para cima e para baixo, uma de cada vez. Consigo fazer isso com as sobrancelhas e acabo assustando as crianças pequenas, mas em Betty a pequena dança das orelhas é outro sinal de afeto. Em ocasiões especiais, ela pode contrair os músculos com força suficiente para virar ao contrário ambas as orelhas, o que lhe dá uma aparência de Sandra Dee.

Betty corre com três patas. Mas nunca corre com as mesmas três, por isso não se pode dizer que esse hábito esteja ligado a alguma doença ou ferimento. Ela simplesmente escolhe três patas, ergue a quarta e sai em disparada, como se estivesse sempre carregando um estepe. Trata-se de uma fascinante demonstração de conservação de energia.

Betty também ganhou o apelido de "A pequena bigorna", pelo fato de acumular muita massa em seu corpinho tubular sem nunca dar a impressão de estar com excesso de peso. Só quando ela pisa sobre você de manhã, para dar início a um hábito que minha mulher chama afetuosamente de "Festa do Amor", você nota que Betty é como uma salsicha que algum açougueiro generoso recheou com uma colherada extra de carne. Tudo isso e mais um rabo de crocodilo que nunca pára de se mexer.

Sim, a "Festa do Amor" começa todas as manhãs, logo que o primeiro raio de luz ilumina o quarto. Poderíamos escurecer mais o quarto, eu acho, mas então todos nós dormiríamos até meio-dia. Definitivamente Betty é uma cadela matutina.

A "Festa do Amor" é um ritual de 15 minutos que envolve Betty, Scoshi, minha mulher e eu. Celebra a luz matutina e a primeira refeição com muitos abraços e lambidas. A única regra parece ser: impossível parar. Os cães estabeleceram essa regra. Quando tentamos parar, Betty faz nossa mão voltar à posição de acariciá-la. Scoshi chama nossa atenção com a pata, lembrando-nos de que ainda não foi suficiente. Então, ele começa a espirrar. Scoshi tem alergia matinal, e não se importa em compartilhá-la. Enquanto um cão é acariciado, o outro abre caminho à força. Esse conjunto de emoções não cessa e, durante todo o tempo, Scoshi espirra e Betty acerta todos nós com seu rabo de crocodilo. Outro dia começa.

Em nossa casa, a nossa cama é o centro do mundo. Além de ser o local da "Festa do Amor", é o centro de todas as sonecas, o ponto de convergência de todos os brinquedos de pelúcia de Betty (incluindo o Dinossauro, o Papai Noel e o Homenzinho Amarelo) e o ponto final de descanso para nós quatro todas as noites, enquanto procuramos a posição mais confortável para dormir.

Não escolhemos a cama com os cães em mente. É uma cama alta com dossel, com um colchão macio recheado de plumas; o tipo de cama que se espera encontrar em uma pousada no campo. Ajuda a nos lembrar de viver como se estivéssemos de férias. Ou, ao menos, a dormir como se estivéssemos. Scoshi e Betty decidiram entre si que a cama era o lugar em que iriam dormir. Scoshi dorme empoleirado sobre a cabeça de minha mulher. Ele costumava dormir sobre a minha cabeça, até que minha mulher resolveu assumir os deveres em relação à alimentação. Então Scoshi decidiu que ela precisava do máximo de proteção possível. Betty simplesmente intromete-se entre nós dois.

Há uma bancada na base da cama que serve como plataforma de lançamento para o salto dos cães. Também serve de depósito para qualquer objeto que, por preguiça, não encontro lugar apropriado para guardar. Esses objetos nunca mais sairão dali. Toda semana, nossa diarista simplesmente faz uma nova arrumação. Ela também parece não ser capaz de encontrar um lugar adequado para guardá-los.

Certa noite, enquanto as luzes se apagavam no centro do nosso mundo, Scoshi, nosso maltês, estava começando a se aninhar sobre a cabeça de minha mulher, e eu tentava encontrar uma posição para o travesseiro que não deformasse minha orelha. De repente, escutei um baque surdo vindo do chão, como se alguém tivesse deixado cair um saco com 10 quilos de areia. Ao que tudo indica, Betty tentara alcançar a cama num único salto, sem utilizar a plataforma de lançamento. Vi-a caída de lado, tentando se endireitar, com ambas as orelhas viradas ao contrário para sublinhar o choque contra o piso de madeira. Ela conseguiu se aprumar, abanou as orelhas para desvirá-las, caminhou até o pé da cama, pulou sobre a bancada, dali para a cama, e delicadamente aconchegou-se entre nós, sem qualquer cerimônia adicional.

Por mais inesperada e catastrófica que tenha sido essa experiência para Betty, considerei-a estimulante. Naquela noite, antes de dormir, enquanto acariciava sua cabeça, fiquei tocado com a idéia de não alcançar a cama no primeiro salto e com o significado mais profundo do que era a mais simples das avaliações incorretas.

Betty saltou bem além da sua capacidade, tentando superar uma altura duas vezes maior do que sua própria.

No entanto, em sua mente, saltou pela mais importante das razões. Ela sabia que a "Festa do Amor" não acontecia no chão. Se quisesse participar da festa, ela teria de alcançar a fonte. A queda que se seguiu à tentativa não a desencorajou de seu propósito mais profundo. Ela simplesmente sacudiu a poeira e achou outro caminho para atingir seu objetivo. Sim, ela fracassou inicialmente, mas não perdeu tempo, e logo estava pronta para não desperdiçar a oportunidade.

A mensagem maravilhosa contida nesse incidente é que um mau resultado não significa um fracasso. Tudo bem não alcançar a cama no primeiro salto, no segundo ou no terceiro. Tudo bem tentar outro caminho. O que não está certo é perder de vista o objetivo – nesse caso, o alto da cama – e desistir dele.

A realização pessoal é um dos elementos mais importantes da experiência humana. Junto com os gestos de amor e compaixão, é um dos fundamentos que dão sentido à vida. Uma vida destituída de realizações é uma vida perdida. É tão simples e brutal quanto isso.

O que há de fascinante em relação aos cães é que, de maneira inata, eles parecem buscar a realização. Nunca conheci um cão que tivesse levado a vida como se fosse apenas um ensaio. Os cães focalizam o que querem e correm atrás. Nós, seres humanos, muitas vezes vivemos como se a vida tivesse bis, como se, da próxima vez, pudéssemos aproveitar todas as chances. Fico admirado com a quantidade de pessoas que conheço que estão sempre desistindo de seus objetivos e sonhos, e sempre me frustro comigo mesmo quando desisto dos meus. Por isso o salto e a queda de Betty foram um exemplo obstinado de um ato de realização, uma ilustração nobre dos elementos do sucesso.

O mais importante: Betty tinha um objetivo. Ela sabia onde estava e onde queria estar. Para muitos de nós, essa é a parte mais difícil. Onde estamos agora? Quais são os nossos objetivos? A auto-avaliação e a definição do objetivo são, muitas vezes, os maiores obstáculos para que se alcancem as realizações. Muitas pessoas se sentem infelizes com a situação atual, mas não estão plenamente conscientes desse fato. Nós disfarçamos nossa desilusão com drogas, álcool ou outro comportamento destrutivo; dessa maneira, ficamos incapacitados física e mentalmente para sermos responsáveis pela situação. Às vezes nos tornamos, de propósito, vítimas das circunstâncias, num esforço inconsciente para evitar assumir a responsabilidade por uma auto-avaliação positiva. Quantas vezes você já escutou alguém dizer: "Realmente quero fazer ________________, mas não consigo porque ______________." Você pode preencher as lacunas com suas próprias respostas, pois todos nós já proferimos essas palavras. Hoje em dia, minha resposta para essa questão é simplesmente esta: "Como Betty reagiria?"

Por um curto espaço de tempo, depois da faculdade, mergulhei nessa névoa de desilusão. Foi um dos períodos mais infelizes da minha vida. Desde os 3 anos – idade suficiente para apontar para a tevê com o dedo – eu sabia que queria ser ator. Revelava certo desgosto precoce quando alguém me perguntava o que eu queria ser quando crescesse. Simplesmente apontava para a televisão, punha as mãos nos quadris e dizia: "Bem, sou um ator. Portanto, é isso o que vou ser." Participei de shows de calouros, atuei em esquetes no ensino fundamental, fiz testes para todas as peças no ensino médio e, finalmente, estudei artes dramáticas na faculdade – tudo com muita clareza sobre como queria conduzir minha vida. Isto é, até um mês antes da formatura. Todos os meus amigos estavam traçando seus planos para o futuro. Alguns se especializariam em medicina, outros, em direito. Alguns haviam conseguido empregos "de verdade" em vendas ou com contabilidade em grandes empresas. Eu ia ser ator e, pela primeira vez na vida, não tinha idéia de como iria me sustentar.

Ganhei o Prêmio de Teatro na formatura, motivo de grande orgulho para mim. Tinha de contrabalançar a honra dessa conquista com a perspectiva de não ter com quem compartilhá-la; era o único da turma que estava se formando em artes dramáticas. Não havia lista de ex-alunos de artes dramáticas para pedir ajuda. Eu não tinha um agente. Na realidade, estivera em Nova York apenas duas vezes. Na mais importante encruzilhada da minha juventude, o negócio do show business me paralisou. Deixei que as circunstâncias ditassem meu propósito.

Assim, quem quer pouco consegue pouco. Logo depois da formatura, arrumei um emprego de empacotador de caixas numa agência de propaganda. Nos cinco anos seguintes, passei por diversas funções em marketing e relações públicas. Também comecei a sofrer de insônia. Não conseguia dormir bem à noite. Tinha sonhos recorrentes, nos quais me via envolvido em brigas tendo os braços congelados em câmara lenta. Ou então não conseguia escapar de algo que estava me perseguindo. Eu estava simplesmente representando a frustração que sentia por estar seguindo pelo caminho errado. A escuridão da noite guarda momentos irrefutáveis de honestidade.

A insônia e os pesadelos acabaram cerca de cinco anos depois, quando me demiti do emprego na área de relações públicas, vendi quase tudo o que possuía e fui levar uma vida de ator em Nova York. Passaram-se 25 anos desde que tomei essa decisão. Já houve ocasiões em que me achei o pior ator do mundo, mas foram 25 anos sem arrependimento.

Os cães, no entanto, não têm qualquer ilusão em relação à auto-avaliação. Estão sempre conscientes sobre como se sentem a respeito de si mesmos. Se estão contentes, pegam um brinquedo ou tiram uma soneca para celebrar. Se enfrentam circunstâncias particularmente adversas, fazem todo o possível – latem, choram, arranham ou saltam – para virar a situação a seu favor. No momento em que as luzes se apagaram no nosso quarto naquela noite, Betty sabia, sem complicações, que não devia ficar no chão. Essa é a clareza de que precisamos para ir em busca de um objetivo.

Mas como sabemos quais são os nossos objetivos? Todos nós gostaríamos de fazer certas coisas. Todos nós gostaríamos de conhecer certos lugares. Todos nós gostaríamos de fazer mudanças na dieta e no comportamento. Todos nós gostaríamos de seguir certa profissão. No entanto, são esses os nossos objetivos ou seriam apenas um conjunto de imagens agradáveis que passam pela nossa cabeça periodicamente? Em que momento nossa imaginação deixa de nos entreter e passa a nos instruir?

A resposta está em nossos devaneios. Sim, devaneios. Aquilo que a professora falava para não termos na escola. Nossos devaneios não mentem. Eles constituem a parte da imaginação em que nosso eu interior, com todos os seus desejos e vontades, emerge para revelar qual deveria ser o rumo da nossa vida. É como um cinema que apresenta apenas os trailers das próximas atrações, que são estreladas por nós. Quanto mais persistente um devaneio, mais significativa a mensagem. Aquilo que aparece em nossos devaneios é o que deveríamos estar fazendo.

No momento em que chegamos a um acordo com aquilo que deveríamos estar fazendo, fazemos o que Betty fez: damos um salto. Saltamos porque não estamos onde queremos estar. Saltamos porque qualquer objetivo merecedor de um devaneio não constitui um passo adiante; é, sim, um salto adiante. É a distância do salto que provoca tanto o desafio quanto a satisfação.

Finalmente, quando damos um salto, devemos saltar como se uma rede fosse surgir. Um salto na vida, seja grande ou pequeno, é um ato de compromisso com a expectativa de sucesso. A força do pulo advém de um inabalável senso de propósito. No entanto, não podemos saltar com a expectativa de atingir apenas a metade do caminho. Se não alcançamos a cama no primeiro salto, voltamos a tentar ou procuramos outro caminho. Não devemos desistir do nosso objetivo.

Talvez tenha sido essa mensagem do "salto" que me manteve "dançando" durante minha participação no programa *Dancing with the Stars*,* da rede ABC de televisão. O programa tinha tudo aquilo que constitui um entretenimento de primeira qualidade: coreografias maravilhosas, figurinos elegantes, iluminação dramática,

---

* Programa de televisão semelhante ao quadro "Dança dos Famosos", do *Domingão do Faustão*. (*N. do E.*)

música belíssima e competição ao vivo. Não usei meus pontos fortes, pois não tinha que representar nem cantar. Eu era um dançarino de salão – algo que nunca tinha feito antes e, naquele momento, estava fazendo diante de todo o país.

Assumi o desafio da competição de modo muito semelhante ao salto de Betty. Sabia onde estava, aonde queria chegar e por que queria chegar. E, todas as semanas, quando a batuta do maestro da orquestra se punha em movimento e a música soava, uma audiência de 25 milhões de pessoas me observava dar um dos maiores saltos da minha vida em um palco de 30 metros, esperando que uma rede de segurança imaginária surgisse, e ela sempre surgia.

Queria vencer, não pelo troféu e/ou pela satisfação em derrotar outras pessoas (pois, na realidade, não há qualquer satisfação nisso), mas para reafirmar algo em que sempre acreditei: não há valor naquilo que é feito sem entusiasmo; qualquer coisa que mereça ser feita merece ser feita da melhor maneira possível. Para mim, era o ponto de confluência da oportunidade e da preparação.

Neste momento, Betty dorme confortavelmente, acomodada entre nós como uma dama de companhia, roubando o máximo de calor de que é capaz. Faltam apenas oito horas para a "Festa do Amor". Já pensei muitas vezes que um sono como esse é conquistado, não dado.

É o sono da satisfação e do equilíbrio. É um sono de realização, aquele de que senti falta durante os muitos anos de incertezas. No entanto, na quietude do momento, interrompida apenas pelos roncos quase inaudíveis, Betty representa um lembrete tranqüilo e constante para mim: ao menos eu dei um salto. E você?

Uma lata fria de carne ainda é uma festa

Foi uma experiência simples que provou, entre outras coisas, que sou capaz de usar meus poderes tanto para o bem quanto para o mal.

Muitos anos atrás, apresentei *To Tell the Truth* (Para falar a verdade), um programa de tevê muito popular. Era um desses clássicos programas de perguntas e respostas que reunia três pessoas – dois impostores e uma pessoa que realizara algo notável – e um júri de celebridades – que, por meio de um interrogatório perspicaz, tentava adivinhar quem era a pessoa que realmente importava e quem eram os impostores. Isso, no fim, gerava a clássica frase: "O verdadeiro fulano de tal, fique em pé, por favor."

Meu júri era sempre brilhante, composto por Meshach Taylor, Paula Poundstone, Brad Sherwood, Dave Coulier e Brooke Burns, entre outros, todos com um raciocínio muito rápido. Eu ficava impressionado com a habilidade com que eles extraíam, de maneira cômica, as informações dos nossos convidados, assim como com a capacidade deles de me divertir constantemente como apresentador. Os produtores e eu nos sentíamos na obrigação de também encontrar maneiras interessantes de fazê-los rir.

Num determinado programa, colocamos um prato de comida diante de cada membro do júri. Era um ensopado típico: carne e legumes em molho espesso e abundante, e foi servido ainda quente. Pedi aos jurados que o provassem antes de eu ler em voz alta o depoimento juramentado da pessoa especial daquela noite. E enquanto eles mastigavam alegremente cada pedacinho do ensopado, informei-os de que aquilo que estavam comendo com tanto prazer era comida de cachorro – a primeira ração aprovada pela FDA (Food and Drug Administration), a agência que regulamenta o setor de remédios e alimentos nos Estados Unidos. Um deles fez apenas cara de nojo, outros dois cuspiram a comida sobre a bancada, e o último deixou o palco, tomado por um mal-estar.

Talvez haja algo duvidoso em meu caráter, tanto que ainda acho engraçada essa história. Nem tanto pela memória visual do episódio, vendo o palco transformado numa escarradeira no precioso horário nobre da tevê, mas porque me faz lembrar de uma questão curiosa: o que é uma gentileza para uns não é para outros.

Ao longo de sua vida, Scoshi, meu maltês branco, vem testando os limites do que é comestível e do que não é. Quando era filhote, ele cabia inteiro na palma da mão, o que significava que cada um dos meus dedos era seu alimento. Se o erguia até a altura do meu rosto, para aconchegá-lo ou dar-lhe um beijo, Scoshi punha em risco meu nariz, lábios e orelhas. Se o deitava sobre o peito, ele tentava rasgar um pedaço do meu pulôver. Em qualquer postura ou posição, ele era, sem dúvida, o consumidor perfeito.

Enquanto filhote, Scoshi era particularmente obcecado por bagagens, não tanto pela mala pronta para viagem, mas sim pela que chegava de viagem. A mala que chegava continha diversas possibilidades: biscoitos de hotel, petiscos de companhias aéreas, tudo misturado com meu cheiro nas roupas. Por isso, Scoshi desfazia a mala para mim. Metodicamente, puxava para fora, com os dentes, todos os objetos, deixando-os no chão; separava o comestível do possivelmente comestível e comia o que conseguia. Depois, espalhava todas as minhas roupas pela casa e rolava sobre elas com a intenção de substituir os cheiros estranhos pelo próprio cheiro. Certa vez, quando eu morava num apartamento em um condomínio com pátio comum, em Hollywood, cheguei em casa e descobri que havia deixado a porta aberta. Todas as minhas roupas estavam espalhadas pelo pátio, e Scoshi estava deitado, de barriga para cima, sobre uma cueca minha; uma sunga, não uma samba-canção.

A comida rege a vida de Scoshi. Além dos cochilos, que ele pratica com uma capacidade olímpica, a comida é o foco de sua existência. É o único motivo pelo qual ele se dispôs a aprender a sentar, sacudir o corpo, dançar, deitar e rolar. A comida o guia. Acho que esse é o motivo pelo qual ele segue minha mulher, Lisa, passo a passo, aposento por aposento, por toda a casa, em cada momento do dia. Depois do nosso casamento, em 2004, ela conquistou o título de "Grande Provedora", e qualquer movimento que faça pode ser na direção da cozinha, lugar que, para nossos cães, é o Centro de Todas as Grandes Coisas que Talvez Possam Acontecer.

Por isso, não é de surpreender que, logo após a "Festa do Amor", cada dia em nossa casa comece com o "Grande Evento", iniciado com tal pontualidade que deixamos de usar despertador há muito tempo. Betty, nossa vira-lata, mistura de dachshund e labrador preto, encarrega-se disso. Todas as manhãs, ela cuida do "Princípio dos Tempos", dever que ela cumpre com precisão nuclear. Betty assumiu o papel de cronometrista à medida que Scoshi ficava mais velho, mais surdo e disposto, se pudesse, a dormir até meio-dia, com o fausto de um aposentado. No entanto, se estivesse mais lúcido, poderia passar horas contando histórias dos anos em que acordava ao amanhecer para liderar as tarefas matutinas referentes ao café-da-manhã.

Porém, atualmente, essa tarefa está em "patas" femininas. De maneira mais amável e serena, Betty dá início ao

"Grande Evento" todas as manhãs com um toque especial: um beijo. Desde o nosso casamento, todos se reposicionaram do lado da minha mulher na cama; eu inclusive. Scoshi, acomodado sobre o travesseiro de Lisa, cobre a cabeça dela como um pequeno halo branco peludo. Betty, que seria capaz de tremer de frio dentro de um forno, aproveita-se da noite para se entocar cada vez mais fundo sob o cobertor. Sempre que um de nós se mexe, todos realizamos manobras para encontrar uma nova posição em torno da minha mulher. Ao amanhecer, parecemos um caracol.

Nessa posição, e num horário conhecido apenas por Betty, mas nunca depois nem antes de seis e meia no relógio atômico, ela começa a se agitar no meio da cama. Ela rasteja de modo delicado, atencioso e deliberado, emergindo em busca de ar. Nós – minha mulher e eu – a sentimos vindo na direção da extremidade dos cobertores, mas não intervimos. Nada deve perturbar o "Princípio dos Tempos".

Betty emerge para a luz de modo tão delicado quanto leva sua vida, com um encanto meio apologético, não na minha direção, mas na direção da Grande Provedora. Ela aproxima bem seu pequeno focinho preto do rosto de Lisa, e então acontece. Sua lingüinha rosada surge; ela se estica um pouco mais e beija com delicadeza a bochecha de minha mulher.

O que torna esse beijo tão importante, tão significativo não é tanto seu propósito, mas sua singularidade. É o único beijo que Betty vai dar durante todo o dia. É isso. Sim, você pode tentar um beijinho do meio-dia ou um beijinho de boa-noite, mas não vai conseguir. Betty só beija uma vez, ao amanhecer, sendo minha mulher o objeto de sua afeição.

Por puro medo da verdade, nunca perguntei a Lisa quem de nós dois beija melhor.

O beijo mexe com nosso coração e nos desperta. Além disso, Scoshi também acorda com a agitação. Sua cabeça aparece subitamente, e ele nos observa, confuso, com os olhos negros em forma de pequenos botões, sem saber onde está ou quem somos nós. Seus pêlos estão emaranhados contra um lado do rosto. Contudo, com uma sacudida de cabeça ele se recompõe e volta ao mundo dos vivos.

A "Festa do Amor" acontece antes do desfile. Quando cessam os abraços, as esfregações e as lambidas, e fazemos menção de sair da cama, parece que é manhã de Natal. A primeira a alcançar o chão é Betty, normalmente com uma pancada tão forte que nos faz pensar que não lhe faria mal pular uma refeição ou duas. Ela segue em frente, com uma espécie de lamúria ofegante, que é sua maneira de indicar que um grande evento está prestes a acontecer. Nós vamos depois, seguidos por Scoshi, que hesita na beirada da cama por causa das suas juntas já envelhecidas. Minha mulher, com o instinto que levou Deus a conceder a maternidade apenas para as mulheres, pega-o e coloca-o delicadamente no chão. Em seguida, Scoshi tenta alcançar Betty, correndo como um velhinho, ofegando baixinho: "Estou indo, estou indo."

Betty já desceu três lances da escada, já foi até a cozinha e já voltou antes mesmo de alcançarmos o primeiro lance da escada. Ela repete esse percurso outras três ou quatro vezes, ainda ofegante e se lamuriando, para tentar nos guiar caso tenhamos nos esquecido de onde fica a cozinha.

A porta se abre; os cães entram primeiro, como touros em disparada pelas ruas de Pamplona. Os latidos, os gemidos e a respiração arfante tomam conta do lugar. Num momento único, elétrico, que acaba com os vestígios de qualquer sonolência, você sabe que chegou à cozinha. Nesse momento único, você percebe por que esse é verdadeiramente o Centro de Todas as Grandes Coisas que Talvez Possam Acontecer.

Durante muitos anos, e até recentemente, fui o Grande Provedor. Não fiz por merecer o título. Ele me foi imposto. Antes da minha atual esposa, eu era, dos três, o único dotado de polegares opositores e de conhecimento sobre o abridor de latas. Durante todos aqueles anos, abria a lata de carne da mesma marca e sabor na mesma hora todas as manhãs, dividia o conteúdo em porções iguais, misturava, deixava-os lamber a colher, e então colocava as duas tigelas de porcelana diante deles. Mais tarde, na *happy hour*, servia duas tigelas de guloseimas caninas.

Tudo isso mudou, para melhor, tenho certeza. Certo dia, Lisa instituiu uma sutil mudança de regime, uma espécie de golpe de estado silencioso. Não posso precisar uma data ou um motivo. Tudo de que me lembro é que, um dia, as tigelas lascadas desapareceram, assim como as caixas das latas de carne, todas da mesma marca, e o saco de 20 quilos de guloseimas, que eu comprava apenas uma vez por ano. No lugar de tudo isso, surgiram duas grandes tigelas de aço inoxidável, enfeitadas com filetes de esmalte vermelho, uma tigela para água, caixas com latas de carne com legumes aprovadas pela FDA, adequadas para ambos os cães e para jurados de programas de tevê, e um saco menor de guloseimas de melhor qualidade, com aroma apetitoso de carne e também data de validade.

Além disso, molho de carne. Isso mesmo, molho de carne. Garrafas com três sabores diferentes de molho de carne para cães.

Aquilo não era uma simples mudança de dieta, mas um grande avanço, da Idade da Pedra para a Renascença.

Os cães não só não me consideram mais o Grande Provedor, mas também qualquer movimento que faço na direção da cozinha atualmente é recebido com duplo desinteresse. Por mim, tudo bem. Sério. É um rebaixamento emocional, sem dúvida, porém necessário. Encontro consolo no fato de que sou simplesmente um produto de meu longo relacionamento pessoal com a comida.

Quando era jovem, se gostasse de alguma coisa, eu comia. De fato, comia muito. E comia com freqüência. Leite, eu gostava. Era capaz de tomar cerca de trinta copos a cada refeição, talvez cem. Engolia cada pedaço de comida com leite; mergulhava minha sobremesa no leite. Talvez tenha sido a principal fonte de proteína durante a minha puberdade. Tudo o que sei é que no dia em que descobri a cerveja e o vinho o mercado de *commodities* agrícolas sofreu um abalo.

Também gostava de sopa de tomate, que, coincidentemente, era preparada com leite. De fato, gostava muito de sopa de tomate, tanto que certa vez uma namorada da faculdade me deu uma caixa com 72 latas de sopa de tomate Campbell's como presente de Natal. Até hoje, acho que foi um dos presentes mais interessantes que já recebi, e nem durou até o fim daquele inverno.

Por isso, não é de admirar que tenha adotado a mesma monotonia inconsciente em relação aos cuidados e à alimentação dos meus cães. O que me surpreende é que eles reagiam com a mesma *joie de vivre* que atualmente demonstram pelo cabaré culinário que minha mulher prepara para eles todas as manhãs; exceto pelo beijo, que é novo e envolve alguma outra coisa entre eles. No entanto, vejo o mesmo desfile rumo à cozinha, as mesmas lamúrias, respiração ofegante e latidos. Vejo o mesmo indescritível turbilhão de empolgação e expectativa quando um novo dia começa e uma nova refeição é servida. Nada mudou, apenas o cardápio e a gerência.

O que fica imediatamente claro em tudo isso é uma verdade muito simples: para um cachorro, um lata fria de carne ainda é uma festa. Seu instinto o leva a reconhecer que o encanto simples da substância é mais importante que o estilo; que a função é mais importante que a forma. Não é apenas uma lição de tolerância, mas também de apreço.

Eles reconhecem que nós fazemos por eles o que não têm condições de fazer por si mesmos. Eles nos amam por consideração a essa responsabilidade. Nós os amamos por causa da alegria e da afeição com que retribuem. É um círculo virtuoso perfeito, constantemente renovado. Em nossa casa, um círculo virtuoso interrompido apenas por uma ocasional poça de xixi.

O apreço é uma arte em extinção – para mim, pelo menos. Estou com freqüência às voltas com o triste paradoxo que é ter de brigar para sentir mais apreço pelas coisas à medida que envelheço, sem perceber que, à medida que envelheço, simplesmente tenho muito mais coisas pelas quais deveria sentir mais apreço. Envio cada vez menos cartas de agradecimento, retribuo cada vez menos as ligações telefônicas. Distraio-me, muitas vezes para evitar a alegria de um encontro espontâneo ou de uma conversa com um estranho num elevador.

Tenho a impressão de que o apreço tem um inimigo natural, total e absoluto: a arrogância da presunção. Quanto mais eu tenho, mais coisas tomo por certas e menos agradeço. Há uma tensão universal entre presunção e gratidão.

Aos 19 anos, meu primeiro carro levou a maior parte da minha fortuna pessoal: 100 dólares. E valia cada centavo.

Era um conversível azul desbotado, com vinte anos de uso. Sua capota estava esburacada e havia um vazamento de óleo na transmissão, que parecia preferir o ponto morto e a marcha a ré a quaisquer outras marchas. No entanto, naquele momento, representava a liberdade pessoal, um tapete mágico capaz de transportar qualquer um dos meus caprichos. À noite, eu olhava pela janela para admirá-lo. De manhã, descia a escada correndo para me certificar de que não tinha desaparecido.

Atualmente, o estilo do carro tomou o lugar da sua função. A conveniência do carro substituiu sua finalidade. Entro e saio de um financiamento de carro com a previsibilidade de uma praga de 36 meses. Não aprecio mais a presença de um automóvel; dou como certa sua inevitabilidade.

No entanto, para nossos dois cães o dia começa sem coisa alguma. A corrida até a cozinha acontece todos os dias como uma surpresa renovada para eles, como acontecia comigo quando via meu carro ainda parado diante de casa. O dia termina para eles sem nada mais do que o vínculo representado por nossa companhia e a sensação de bem-estar de que, juntos, conseguimos sobreviver a outro dia.

Não estou sugerindo que somos capazes de sentir apreço por tudo. Nenhum de nós tem o tempo, a capacidade ou a consciência para dar ao universo seu devido valor. Temos direito a certo egoísmo. É tão humano quanto importante. É o que nos torna interessantes. Eu tinha duas tias-avós que pareciam sentir apreço por tudo. Eram tão amáveis que eu não conseguia passar muito tempo com elas. Davam a impressão de ter negligenciado os próprios interesses para sentir apreço apenas pelo que interessava às outras pessoas.

Também acho prudente tomar por certas determinadas coisas, mesmo sem sentir apreço por elas. Como a gravidade. Pessoalmente, não gasto tempo algum sentindo apreço pela gravidade, e me sinto à vontade com isso. Eu a reconheço, respeito, mas também espero que ela esteja presente todos os dias. No dia que ela sumir, simplesmente vou girar feito um louco pelo ar durante 30 segundos e depois não vou mais existir.

Se fosse um cirurgião plástico em Beverly Hills, agiria de modo diferente. Iria me ajoelhar para a gravidade todos os dias. Expressaria em oração o meu apreço pelos efeitos da força gravitacional, que encheriam meu consultório de pacientes todos os dias.

Para meus cães nunca falta tempo para apreciar as alegrias simples da vida: a pompa e o desfile para a cozinha todas as manhãs, o passeio de carro com a cabeça apoiada na janela, ou a caça à Bruxa Má – o brinquedo do momento – pelo *hall* da casa, até ela ricochetear bastante na mobília e descansar no chão, para então ser ressuscitada. Há a maciez da grama do quintal, sempre merecedora de uma ou duas roladas. Há o som singular da palavra "vamos", que, aparentemente, para eles quer dizer "você ganhou na loteria".

E, é claro, há a alegria inesperada de uma mala que chega de viagem. A lista é interminável e repetitiva. E eles se mostram sempre tão agradecidos como se fosse a primeira vez.

Assim como minha mulher me mostrou um amor mais profundo, meus cães me mostraram que é preciso sentir mais apreço e menos presunção. Sentir apreço, para mim, é um ato de humildade, um modo de reconhecer o que não podemos fazer ou não fizemos por nós mesmos. Cria um equilíbrio entre os atos individuais de satisfação própria e o fato de sermos simples criaturas da necessidade.

Poder ter um cão como animal de estimação e companheiro significa que minha vida está plena de abundância. Se sou capaz de reconhecer isso, então cada dia é o "Princípio dos Tempos" e o mundo inteiro é o Centro de Todas as Grandes Coisas que Talvez Possam Acontecer.

Cada 15 minutos é um dia novinho em folha

Não tenho certeza de quando começou minha obsessão pela entrega do correio. Assim que cortaram meu cordão umbilical devo ter engatinhado instintivamente na direção da caixa de correio, como uma tartaruguinha correndo para a Mãe Oceano. Muito cedo, percebi que o grande tubo de alumínio existente na entrada de casa era uma ligação com o mundo.

Isso foi antes dos e-mails e do dilúvio de lixo eletrônico, quando a correspondência continha cartas de verdade escritas com caligrafia caprichada; quando as cartas eram uma troca de idéias e de acontecimentos, de amor e esperança, de pesar e tristeza. Tudo isso, e mais uma nota de 20 dólares se fosse um cartão de Natal ou de aniversário das minhas duas tias.

Hoje em dia, minha letra é terrível. Se tivesse de escrever meu próprio pedido de resgate, minha vida estaria acabada. Os poucos garranchos que faço atualmente são em cheques, e só porque o mundo do banco eletrônico ainda me confunde. Digito minhas idéias, como estou fazendo agora. Envio e-mails na forma de memorando em vez de redigir a correspondência com mais cuidado. Em vez de lamber um selo, pressiono a tecla "Enter".

Meu entusiasmo pela caixa de correio, porém, não diminuiu nem um pouco. Hoje, os motivos são outros. A caixa do correio ainda guarda alguns objetos de interesse: revistas, convites e, eventualmente, uma carta ou um cartão. Mas fica a maior parte do tempo cheia de catálogos – resultado da compra de uma malha por reembolso postal há sete anos. O sinal de fumaça resultante desse impressionante acontecimento comercial se espalhou de tal maneira que agora não apenas inúmeros fabricantes de roupas esperam que eu repita a experiência, mas outras empresas também acreditam que vão me convencer a refinanciar minha casa, viajar para o Caribe e lavar a seco meus tapetes. Na época do Natal, o volume de correspondência inútil atinge níveis tão críticos que eu chego a pensar em contratar uma equipe de carregadores para fazer o transporte do material.

Independentemente disso, porém, hoje em dia ando até a caixa de correio porque isso sempre me diverte.

Sempre que minha mulher e eu saímos de casa pela porta da frente, Betty e Scoshi se juntam para a longa despedida. Sentam-se em silêncio perto da porta, com olhar de órfãos, numa última tentativa de nos convencer a não sair sem eles ou a desistir de sair.

Quando vou até a caixa de correio, é a mesma cerimônia triste. Volto os olhos para a porta e vejo quatro olhinhos em dois rostinhos desconsolados, achatados contra o vidro, como se não acreditassem ou compreendessem que motivo eu teria para dissolver a família daquele jeito, e se perguntando se eu voltaria algum dia.

Saio de casa e volto em dois minutos, no máximo, e sou recebido como herói. Betty dá pulos e late. Scoshi também late e gira em círculos. Eles não param até eu me desfazer da correspondência e segurar o rosto de cada um em minhas mãos. Assim, eles são capazes de constatar que *sou eu mesmo*. Estou em casa de novo e a família está completa mais uma vez.

Por isso é que atualmente adoro buscar a correspondência. Isso me lembra de que os cachorros vivem, mais ou menos, sem o ônus do tempo.

Na realidade, acredito que os cachorros vivem em incrementos de 15 minutos, que cada 15 minutos representa um dia novinho em folha. Se você não acredita em mim, tente: repreenda um cão por uma poça de xixi que ele deixou 20 minutos antes. Ele parecerá inteiramente livre de culpa. O tempo já o isentou da responsabilidade. Se você o repreender dentro dos 15 minutos, ele vai se perdoar muito antes do que você deseja.

Não que os cães não sejam capazes de se lembrar. Você pode condicionar o comportamento deles: ensiná-los a sentar, a deitar, a ir buscar um *frisbee*. É que os cães não precisam se lembrar de muita coisa. Eles não têm expectativas além das necessidades imediatas. Não ficam obcecados com seu potencial. Não se sentem incapacitados pelo remorso.

Os cães vivem inteiramente no aqui e agora. Se você está presente, eles ficam felizes. Se você fecha a porta para sair, eles acham que você está parado do outro lado da porta e se sentem infelizes. A relação deles com o tempo é bem diferente da nossa. Sob vários aspectos, é muito mais saudável.

O tempo é a medida de toda a atividade humana. Não conseguimos sequer conceber qualquer coisa fora do tempo. É o meio pelo qual acompanhamos todos os acontecimentos. As linguagens estão estruturadas para explicar como gerenciamos o tempo. Os verbos têm tempos: passado, presente e futuro. A música tem tempo. Os esportes têm cronômetros, relógios de disparo, velocímetros e penalidades por atraso do jogo. Nós até pedimos "tempo", o que pode provisoriamente apaziguar o treinador, a equipe e a torcida, mas, na verdade, é uma falácia. Na realidade, o tempo nunca pára. Essa é a dura realidade.

Não é a obsessão com o tempo que provoca complicações em nossa vida, mas sim o fato de não podermos escapar dele. É a marca registrada e onipresente da experiência humana. Desde o instante em que nascemos, nossa fatia de tempo começa a correr como um taxímetro. Nenhum de nós sabe a distância.

Como lidamos com a realidade profunda de que o tempo, em especial aquele que nos cabe, é finito? Nossas respostas descrevem diretamente a qualidade da nossa vida.

Lembro que era fascinado pelo tempo quando jovem. Não pela contagem dele, que aprendi com a mesma idade em que todos aprendem, mas pela idéia de infinito, que, como Deus, não tem princípio nem fim. Podia passar horas tentando compreender o conceito de "sempre foi, sempre será". Era algo assustador para mim, semelhante à experiência de estar na beirada do telhado da garagem e me inclinar cada vez um pouco mais para ver até onde conseguia chegar sem cair. Parava de imaginar o infinito quando sentia a cabeça pegando fogo e o cérebro prestes a explodir.

Anos depois, na faculdade, li muito T. S. Elliot, que salpicou seu poema épico "Quatro quartetos" com longas reflexões sobre o Tempo Passado, o Tempo Presente e o Tempo Futuro. Então, em vez de refletir sobre as idéias de infinito e de eternidade, eu subia até a beirada do telhado e meditava sobre a idéia impossível do Tempo Presente. Parecia impossível porque cada momento presente era passado no instante em que você pensava nele. Como posso viver no momento presente se ele não existe, se passa zumbindo, constantemente, mais rápido do que posso vivê-lo? Foi assim que tomei consciência do problema do tempo.

(Por falar nisso, responsabilizo Adão e Eva pela confusão. Eles morderam a maçã, cometeram o pecado original e foram expulsos do Paraíso. Considerando alguns dos momentos mais tocantes da minha desperdiçada juventude, acho que a pena foi muito severa. Mas eu realmente não acredito que a punição tivesse qualquer coisa a ver com recolocação. Como resultado da indiscrição original, que, de acordo com a Bíblia, todos nós herdamos, acho que Deus os expulsou para que se conscientizassem e sentissem o peso do tempo. Afinal, se você quiser castigar uma mulher, diga-lhe que ela vai envelhecer. Se você quiser punir um homem, diga-lhe que ele não terá toda a eternidade para realizar alguma coisa. E, tocando no assunto, os dois estavam nus.)

Desde então, tenho constatado que o tempo pode nos curar, quando assim permitimos. É uma fonte de estresse quando acreditamos que nos falta. É uma fonte de tédio se temos muito, e provoca insanidade numa prisão, onde só há ele e nada mais.

O tempo é cronológico quando identificamos fósseis e vinhos, quando pegamos aviões e trens, quando marcamos compromissos e fazemos reservas. Quando estamos nos braços da pessoa amada ou na sala do diretor da escola, ele é subjetivo e não tem relação com sua duração cronológica.

O tempo passado é história, tanto no sentido épico quanto no pessoal. É um grande professor de lições aprendidas e um grande proclamador de vidas grandiosas. O tempo futuro são nossas profecias, sonhos e expectativas.

Não é o maior dos segredos o fato de que nossa vida é mais feliz quando vivemos no momento presente, no Tempo Presente. Quando permanecemos no passado ou damos muita importância ao futuro, exercemos uma pressão artificial sobre o tempo, ocasionando estresse e ansiedade. O grande segredo é o seguinte: como vivemos no presente?

Por mais que tenha me confundido na época da faculdade, T. S. Elliot disse algo em "Quatro quartetos" que me marcou para sempre: "...fica tranqüila, e espera sem esperança/ Pois a esperança seria esperar pelo equívoco."* Esse era seu entendimento de como viver no momento presente.

É como tentar explicar o sentido da vida com os versos de uma canção folclórica. A letra pode ser expressiva, mas não é muito clara.

Felizmente, Betty e Scoshi proporcionam uma aplicação mais prática.

Enquanto escrevo isto, estou em Nova York, trabalhando na Broadway, uma temporada que tem sido tão empolgante para os cães quanto para minha mulher e para mim. Eu me apresento na Broadway seis noites por semana. Eles fazem xixi na Broadway quatro vezes por dia. Se a sua vida consistisse numa busca constante por cheiros atraentes,

---

* T. S. Elliot. *Obra completa* – Volume I – Poesia. Tradução, introdução e notas de Ivan Junqueira, Ed. Arx, São Paulo, 2004. (*N. do E.*)

as ruas de Nova York seriam imbatíveis. Cada metro de calçada faz com que este seja talvez o lugar mais empolgante da Terra.

Há algumas noites, minha mulher estava doente e dormia profundamente quando voltei do teatro. Era meu dever conjugal fazer a caminhada da noite com os cães. Eles dormiam ao redor dela, ajudando-a da melhor forma possível para que ela melhorasse. Inclinei-me sobre Betty, ergui sua orelhinha preta e sussurrei: "Vamos passear?" Ela se ergueu de súbito e saiu do quarto em disparada. Scoshi dormia como um halo em torno da cabeça de minha mulher, e tive um pouco mais de dificuldade para despertá-lo. Sua surdez e minha incapacidade para fazer um gesto significativo que indicasse "passeio" tornaram inútil qualquer tentativa de comunicação, mas Scoshi finalmente percebeu a empolgação de Betty e ficou curioso para saber por que estávamos perturbando seu sono no meio da noite. Peguei-o com delicadeza, coloquei-o no chão, e ele caminhou em direção à porta.

Betty andava em círculos pela sala de estar. Primeiro, prendi a guia em sua coleira, e acho que Betty considerou que isso era uma recompensa por ter demonstrado mais entusiasmo em relação ao passeio. Então, fui até Scoshi e vesti nele o pequeno casaco vermelho, uma roupa que minha mulher havia comprado para protegê-lo do frio no inverno. Ele parecia uma criança usando uma fantasia do Super-Homem para o Halloween.

Tinha acabado de fechar os botões do casaco de Scoshi quando percebi uma coisa muito estranha. Betty estava parada a centímetros da porta, com a guia caída ao seu lado, olhando fixamente para a minúscula fenda entre a porta e o batente. Apenas olhando.

Fiquei parado onde estava, com Scoshi em meus braços, e esperei. Betty continuou com o olhar fixo, absolutamente imóvel. Não interferi, deixei que ela continuasse imóvel e contemplativa.

Abri a porta bem devagar alguns minutos depois. Ela saiu correndo pelo corredor, com a guia saltando atrás dela. Coloquei Scoshi no chão, e seguimos pelo corredor na direção do elevador, onde Betty estava sentada, esperando.

Enquanto fazíamos nossa sinuosa caminhada pela Broadway à meia-noite, fiquei pensando na estranha postura de Betty. Sua saída rápida da cama e sua corrida em círculos pela sala de estar foram rapidamente substituídas por uma imobilidade quase impenetrável diante da porta. Era como se eu a tivesse surpreendido num momento particular de contemplação, sem qualquer expectativa em relação ao início do passeio ou à possibilidade de fazê-lo. *Fica tranqüila, e espera sem esperança. Pois a esperança seria esperar pelo equívoco.*

Terminamos o passeio depois que as luzes da Broadway se apagaram. Voltamos para o apartamento, desabotoei seus trajes, soltei as guias, e fomos todos para a cama. Betty rastejou sob as cobertas para passar a noite entocada entre nós. Estranhamente, porém, Scoshi não voltou para seu lugar sobre o travesseiro de minha mulher. Deitei na cama, e ele ficou na ponta do meu travesseiro, olhando-me fixamente. Então balançou a cabeça para mim e continuou me contemplando.

Então devolvi o olhar fixo e entrei no jogo: quem pisca primeiro. Na penumbra da luz de cabeceira, seus olhos pretos estavam cravados em mim. Por algum motivo, ele parecia paralisado. Quanto mais eu olhava para ele, mais alguma coisa mudava dentro de mim. Era como uma fusão silenciosa de tudo o que pudesse ter importância naquele momento, inclusive o jogo. Eu só olhei para ele, e em seus olhos senti tudo o que ele sentia, principalmente seu amor. Senti o peso da nossa história: nossa viagem através do país, os muitos amigos que apareceram e desapareceram e os diversos lugares que chamamos de lar. Eu estava contemplando os olhos do filhote, que, de algum modo e tão de repente, havia se tornado um velhinho. No mesmo instante, senti uma alegria profunda por todos os nossos anos juntos, misturada com a tristeza de saber que um dia, não muito distante, aqueles olhinhos seriam apenas uma lembrança. Voltei a pensar no Tempo Presente e vi um milhão de significados naquele momento único.

Na realidade, durou mais do que um momento. Foram muitos momentos, e Scoshi piscou antes. Ele se estendeu na minha direção e, a meia-luz e no silêncio da noite, lambeu meu rosto com suavidade. Lágrimas brotaram nos meus olhos. Olhei para minha mulher, que dormia profundamente devido aos remédios e respirava com dificuldade por causa da gripe. Arrastei-me pela cama e a beijei no rosto. Estava apenas compartilhando o amor.

Naquela noite, adormeci lembrando de outros versos do poema de Elliot: "O tempo presente e o tempo passado/ O que podia ter sido e o que foi/ Tendem para um só fim, que é sempre presente."* Parece que o amor só pode existir de verdade no momento presente, e só quando estamos presentes naquele momento podemos amar de verdade.

T. S. Elliot e alguns cachorros fizeram com que eu entendesse isso.

---

* T. S. Elliot. *Obra completa* – Volume I – Poesia. Tradução, introdução e notas de Ivan Junqueira, Ed. Arx, São Paulo, 2004. (*N. do E.*)

Quando alguém parar de acariciá-lo, afaste-se

Tenho um sócio, John, que é tão perspicaz quanto eloqüente e engraçado. Ele tem uma cadela, Reagan, que é graciosa, inspiradora e muito ativa. Justamente as qualidades que me acostumei a esperar de John, pois muitas vezes nossos doces melões se transformaram em limões e ele conseguiu fazer uma limonada da fruta estragada. Seu senso de humor tornou a recuperação financeira muito mais palatável.

Reagan é uma maravilha constante. É um labrador retriever de 18 anos, cor de mel, com pêlos macios e olhos escuros e doces. Alcançou uma idade que poucos cachorros conseguem alcançar, e ainda faz todos os dias coisas que a maioria dos cães nunca tenta fazer.

De manhã, Reagan nada na piscina, quer você goste ou não. Diariamente, encara os coiotes e os pumas enjaulados do vizinho (vizinhança estranha, admito). Todas as manhãs, desce pela longa e sinuosa entrada de carros da casa para buscar o *Los Angeles Times* de John. Se não for capaz de encontrá-lo, trará o de alguma outra pessoa. Se perder a entrega do jornal, trará algo que lhe pareça semelhante: uma toalha, um saco de papel, até um galho. Ela nunca desperdiça o passeio.

Sua natureza muito ativa foi cultivada desde que era filhote. Era bem-vinda em todas as casas da vizinhança, e expressava seu reconhecimento levando lembranças de cada uma das casas que visitava. Um vizinho perdeu um conjunto de mordentes de um torno mecânico; outro, uma fita cassete do Guess Who. Certo dia, ela trouxe um Rolex de ouro e aço inoxidável sem qualquer cerimônia. Estava sempre numa missão de salvamento. O padrão e o valor das suas coletas só faziam sentido para ela.

Certa tarde, John foi saudado pelo som de metal rangendo na entrada de carros. O barulho foi ficando cada vez mais alto e mais claro. Ele abriu a porta de casa e viu Reagan arrastando uma peneira de alumínio para limpeza de piscina com quase 3 metros de comprimento. Origem: desconhecida. Com a boca ela segurava a extremidade com a tela, enquanto o longo cabo saltava sobre o calçamento. Aparentemente, era algo de que nenhuma casa poderia prescindir – ou, ao menos, não a casa de John. Reagan deixou cair o tesouro na garagem, com um visível senso de missão cumprida por ter deixado sua casa um pouco mais completa.

Apesar de todo o entusiasmo e de seu admirável compromisso com o resgate, ela não tinha exigências quanto a qualquer tipo de retorno sólido. Isso ficava a cargo de John; o que, suponho, foi uma das maneiras pelas quais ele desenvolveu sua eloqüência e senso de humor.

Reagan até ajudou John a iniciar seu primeiro negócio. Na parte mais baixa da rua de John, em Houston, no Texas, havia um buraco fundo à espera de um motorista distraído. Quando um carro caía nesse buraco, além do barulho estrondoso, a calota saía da roda voando, depois rodopiava e dançava pela rua. Era o sinal para Reagan sair à caça. Pouco depois, trazia a calota para a garagem de casa, que logo começou a ficar parecida com o cenário de *Sanford and Son*.* Quando o estoque estava grande o suficiente, John ia de bicicleta até o estacionamento do supermercado local, verificava os carros sem calotas, e as vendia aos ex-proprietários por 10 dólares cada. John e Reagan formavam uma equipe perfeita.

Mas há outra peculiaridade no caráter de Reagan que me intriga. No fundo, ela é uma donzela do sul dos Estados Unidos – uma espécie de Scarlet O'Hara, de *...E o vento levou*. Reagan sempre age com amabilidade discreta, que revela sua formação texana. Sempre a anfitriã perfeita, recebe todas as visitas na porta, acompanha-as até a sala

---

* Série de tevê da década de 1970 que tinha como cenário uma loja de refugos, sucatas e objetos recuperados. (*N. do T.*)

de estar e fica sentada pacientemente até que elas se sentem. Depois, da maneira menos imponente, dirige-se a cada pessoa, repousa o queixo sobre o joelho delas, e permite que cada um a acaricie pelo tempo que quiser.

No momento em que o carinho é interrompido, ela se afasta com polidez e procura outra pessoa. Não força uma continuidade. Aceita o fato de que a carícia tem um começo e um fim, e sabe que outro par de mãos está esperando. Reagan vem praticando esse ritual ao longo de todos os anos em que a conheço.

Pode-se dizer que podemos extrair mais coisas do lado empresarial do seu temperamento. E algumas pessoas podem admirar a extravagância e a liberdade com que Reagan encara a vida.

No entanto, para aqueles que, como eu, estão tentando se auto-aperfeiçoar a todo custo, encontro mais brilho na capacidade de Reagan de chamar atenção e pedir carinho com delicadeza. E ainda mais importante: respeito sua capacidade de saber o momento de seguir adiante.

Betty revela caráter semelhante. Ela acompanha Scoshi quando o levamos ao veterinário. Como Scoshi está ficando velho, essas consultas, infelizmente, tornaram-se mais freqüentes. Enquanto ele treme de ansiedade, Betty transforma a sala de espera numa festa. Ela passeia pela sala, salta no colo de cada dono ou dona de animal e desfruta de alguns momentos de afeição. Quando a carícia cessa, então ela cumprimenta o cachorro, o gato, o pássaro, o hamster ou o réptil do dono ou dona. Ela dá suas voltas até que todos tenham a oportunidade de apreciá-la.

Novamente, por mais que admire sua habilidade para chamar atenção, fico mais impressionado com a capacidade de Reagan e de Betty de se desapegarem com tanta facilidade e determinação. Não é o apego que eu aplaudo, mas sim o desapego.

Não nasci com essa qualidade. Sei que não estou só nisso.

Passei muitos anos sofrendo com a incapacidade de não me importar com relacionamentos, com decepções no trabalho e até com erros pessoais. E, muitas vezes, à custa da minha dignidade.

Meti-me, sem querer, no meu primeiro relacionamento com uma garota aos 14 anos. Digo "meti-me, sem querer" pois não posso realmente precisar o dia em que a excitação, a aproximação furtiva e o chamar pelo nome se transformaram em ligações telefônicas secretas e caminhadas clandestinas.

Mas me lembro da noite de Halloween daquele ano. Por causa do frio, tivemos de usar casacos, o que neutralizava o efeito de qualquer fantasia de feiticeiro, vampiro ou monstro. Mas isso não tinha importância. Uma calça jeans e meu jaquetão grosso de marinheiro ficaram ótimos – porque eu estava pedindo doces com uma menina.

Não me lembro dos doces, fantasias ou travessuras daquela noite. Só me lembro do lugar exato na calçada, na esquina do nosso quarteirão. Lembro-me do ar frio enquanto respirava. Lembro como a noite pareceu impressionantemente silenciosa por um único momento especial. O mundo inteiro ficou em silêncio quando estendi o braço e, pela primeira vez, segurei sua mão.

E não me desliguei da menina durante três horas.

Por volta das onze horas da noite, o pai dela apareceu à porta, nada satisfeito com o fato de a filha ainda não ter voltado para casa. Ele teria ficado muito menos satisfeito se tivesse nos visto de mãos dadas, dando nossa septuagésima volta pelo quarteirão. Éramos de religiões diferentes: eu era católico e ela era judia. E eu sabia que isso só aumentava o descontentamento dele. Mas eu estava sentindo a pele de uma menina pela primeira vez e pretendia fazer com que isso durasse o máximo possível.

Porém, como acontece com freqüência nas relações entre homem e mulher, não consegui.

Sem dúvida, o peso da atração estava pendendo para o meu lado. Ela talvez estivesse interessada, mas não estava apaixonada. Eu, no entanto, fiquei muito apaixonado.

Tivemos alguns encontros nada espetaculares. Levei-a para assistir a *Estação Polar Zebra*, com Ernest Borgnine e vários coadjuvantes masculinos, todos presos no Pólo Norte durante as duas horas de filme. Tinha todo o romantismo de um enforcamento público, e talvez tenha sido a escolha mais idiota de todos os tempos. Por causa disso, não voltamos para casa de mãos dadas.

Naquele verão, ela foi para um acampamento no estado

de Nova York, e eu fui para um chalé que meus pais alugaram na praia, em Connecticut. Mantivemos contato por intermédio de cartas. As minhas eram arduamente redigidas. Cada palavra escolhida com muito cuidado; cada carta encerrada com a verdadeira razão para escrever: "Estou com saudade de você."

As cartas dela pareciam propaganda do acampamento. Nada de "Também estou com saudade de você". Ela me mandava a lista de todas as atividades esportivas, menos a declaração mais importante. Mas eu ia até a caixa do correio todos os dias para esperar outra carta. E corria para enviar minha resposta: "Estou com saudade de você."

Além de ser minha primeira experiência romântica, também foi minha primeira experiência com o poder da negação.

Em setembro, as ligações telefônicas minguaram e se tornaram mais tensas. Na realidade, rascunhava algumas palavras antes de ligar para ela com a finalidade de manter o diálogo de pé. Um roteiro meio fajuto de uma conversa espirituosa e agradável. Porém, certa noite, uma semana antes do meu aniversário, no começo de outubro, deixei a conversa esmorecer até o ponto de ela se intrometer: "Acho que você não deveria telefonar mais." Fiquei arrasado.

Nunca mais sentiria a mão dela junto à minha.

Mas esse não foi o fim da minha obsessão por esse relacionamento. Nas semanas seguintes, eu passava de bicicleta na frente da casa dela em horários estratégicos. Lançava um olhar indiferente, mas desesperado, na direção da janela dela, e continuava pedalando até o fim do quarteirão. Então dava meia-volta e retornava para ver se tinha provocado algum impacto. Nenhum. Nenhum mesmo. Até escrevi uma carta. Nenhuma resposta. Assim foi; virei bucha de canhão aos 14 anos.

As coisas foram ficando piores, mas, para entender o quanto, você precisa saber que nessa idade eu freqüentava uma escola só para meninos que mantinha uma política rigorosa de esportes obrigatórios. Ou seja, o fato de você ser um péssimo atleta não tinha a menor importância, pois sempre havia um lugar para você em algum time.

Minha desgraça foi o futebol americano.

Tinha um corpo talhado para o debate de idéias e não para o esporte. Era alto e muito magro. Também era um corredor muito lento. Acrescente a isso o peso do equipamento do futebol americano: minhas corridas podiam ser cronometradas com um calendário.

Assim, apesar da política de participação obrigatória, nenhum técnico em sã consciência, num jogo decisivo, me colocaria em campo, nem ao menos por alguns minutos, para que eu desenvolvesse minha personalidade. Portanto, eu ficava no banco durante a maioria dos jogos. Sentava-me ao lado de alguns outros pernas-de-pau. Em nosso primeiro jogo do ano, fiquei sentado num banco recém-pintado de verde, que não tinha secado completamente por causa da temperatura baixa no outono. As costas do nosso uniforme ficaram manchadas com diversas faixas verdes que nunca saíram. A partir daquele momento, ficamos injustamente conhecidos como a Brigada da Tinta Verde. Uma coisa é não ter talento, outra bem diferente é ganhar notoriedade por causa disso.

Nosso primeiro jogo depois das férias foi também o primeiro após o rompimento com minha namorada. Também era meu aniversário. Os pais e os alunos lotavam as arquibancadas, num belo e claro dia de outubro na Nova Inglaterra. Meus pais não tinham vindo; seria inútil mesmo. Até eles sabiam que eu não jogaria.

O administrador de esportes da escola sempre escolhia a dedo o adversário para o primeiro jogo depois das férias. Era sempre contra uma equipe muito fraca. Assim, os alunos podiam assistir a um espetáculo melhor, e isso nos assegurava ao menos uma vitória na temporada.

Porém, isso não significava que eu fosse jogar. Por isso, fiquei sentado no banco, brincando com meu capacete, trocando algumas idéias com o restante da Brigada da Tinta Verde e vendo nosso time titular arrasar o time da outra escola. Feliz aniversário para mim.

O jogo estava quase no final e vencíamos com um placar, se não me falha a memória, de 17 mil a zero. Faltando dois minutos, percebi que o técnico não iria correr o risco de contar com as minhas habilidades – ou não queria deixar que o adversário saísse do zero ou imaginava que poderíamos ampliar ainda mais o marcador. Assim, virei minha cabeça para observar as arquibancadas e ver se reconhecia alguém.

E reconheci. Ela estava ali.

Minha cabeça reagiu bruscamente. Minha mente disparou. Senti falta de ar. Será que ela tinha visto todo o jogo? Não. Por favor, por favor, por favor, não. Eu não tinha jogado. Ela não podia ter me visto em um dos momentos menos viris da minha vida. Pense. Pense.

Então, resolvi fazer uma jogada que em futebol americano é chamada de alvoroço.

Eu estava sentado na ponta do banco, perto do balde com água. Lentamente, estendi a mão direita, apanhei uma concha de água e virei sobre a minha cabeça. Fiz isso de novo. E mais uma vez. E outra vez, até ficar bem molhado.

Depois, eu me inclinei e peguei um punhado de terra, que misturei com um pouco da água do balde, e fiz uma torta de lama. Ainda inclinado, comecei a passá-la sobre o rosto, os braços e as pernas. Endireitei-me e continuei lambuzando a frente do meu uniforme com a lama. Olhei para o relógio do jogo e corri até a linha de fundo.

No momento em que o apito final soou e as equipes se dirigiram para a linha lateral do campo, eu parecia o modelo de um cartaz de recrutamento dos fuzileiros navais ou, pelo menos, alguém que tinha sido arrastado por um trator num chiqueiro. Juntei-me rapidamente ao time titular no abraço da vitória que estava se formando em torno do técnico. Todos nós arremessamos nossos capacetes para o ar, para alegrar os mortos e feridos da outra escola. Aparentemente, ninguém havia reparado que eu havia adquirido um estranho tom de barro. Talvez imaginassem que eu tivesse escorregado e caído do banco.

Mas eu não estava interessado neles. Só tinha olhos para a menina da arquibancada.

Quando o entusiasmo pela vitória diminuiu, os jogadores recolheram seus capacetes e seus egos e deram início ao lento e pomposo andar de gladiador romano rumo ao vestiário. Juntei-me a eles. Passei bem perto das arquibancadas, que já estavam ficando vazias, para ser visto por ela. Diminuí o passo deliberadamente e depois atravessei o campo, acompanhando o ritmo dos meus companheiros de equipe. Assumi o ar arrogante de John Wayne no Alamo, pronto para expulsar todo o Exército mexicano. Meu capacete estava pendurado do meu lado, e eu respirava pesadamente – por causa das últimas duas horas que passara sentado no banco.

Se parecia que estava querendo chamar atenção, uma atenção muito específica, não precisei esperar muito tempo para conseguir. O sucesso chegou lentamente por trás de mim. Alcançou meu passo e seguiu no meu ritmo.

Ela deu um tapinha no enchimento do meu ombro. Antes de eu poder dizer algo tão heróico quanto "Oi", ela perguntou: "Por que está respirando assim? Você nem jogou."

Fiquei mudo. Ela havia acabado de me "derrubar com a língua". Então eu me lembrei do Alamo. John Wayne também havia sido "chutado".

Ela não pretendia se pendurar em mim. Eu correria direto para seus braços abertos.

Retruquei dizendo algo nada memorável enquanto tentava me "esconder" no meu capacete. Então, ela disse que tinha vindo com um grupo de amigas para ver um grupo de amigas e que tinha de voltar para esse grupo de amigas. "Então, tchau!"

Sim, feliz aniversário para mim.

Depois disso, ainda a amei sem ser correspondido por um bom tempo. Mais um ano da minha jovem existência. Ela partiu para outra, mas eu continuei atolado.

Dois anos depois, aos 16, enfim me apaixonei de novo. Foi mais sério dessa vez, pois a ligação foi além das mãos dadas; envolveu alguns beijos. Infelizmente eu a conheci seis semanas antes de a minha família se mudar de Connecticut para a Flórida. Foi como Romeu e Julieta, ambos apaixonados e condenados. Nós trocamos beijos durante seis semanas. Na realidade, foi um beijo único, longo e profundo de seis semanas, que acabou com a porta do avião se fechando quando viajei para uma praia distante e mais triste.

Fiel ao padrão, passei cada momento do meu último ano do ensino médio preso a alguém que morava a milhares de quilômetros de distância. Ela, por outro lado, lamentou nossa separação durante um mês inteiro. Depois, conheceu um amigo do irmão, com quem acabou se casando.

Foram dois anos que nunca vou recuperar. E sinto falta deles não pela quantidade de tempo, mas pela qualidade daqueles anos preciosos e fundamentais, quando poderia ter vivenciado experiências muito mais saudáveis. Porém, por causa da minha necessidade de criar uma realidade a partir de algo que não era real, tornei-me vítima do meu próprio desespero, negando-me a aceitar a dignidade e a inevitabilidade da perda.

A perda é tanto inevitável quanto completa. Aceitar esse fato é uma dádiva. Conforme envelhecia, e a vida se tornava mais complicada, vi muitos amigos procurarem o auxílio de terapia. Quase sempre, eles estão tentado lidar com algum tipo de perda, ou com as conseqüências de uma perda: no trabalho, no amor ou na vida. Aparentemente muitos também ficam paralisados pelo processo de cura. Eles vivem numa espiral exaustiva de análise, sem nunca vivenciar a benigna liberação proporcionada pela síntese.

Mas em Reagan e em Betty eu vejo o equilíbrio entre conexão e desconexão. A cabeça de Reagan vai de joelho em joelho; e a de Betty, de colo em colo, sem cerimônia nem remorso. É a dança benigna da análise e da síntese.

Ao que tudo indica, em nossa busca por uma vida com sentido, nos deparamos com o paradoxo de que, às vezes, deixamos as coisas significarem demais. Quer estejamos agarrados a algo tão frágil quanto o coração, ou a algo tão emocionante quanto uma peneira de alumínio para limpeza de piscina, mais cedo ou mais tarde vamos ter de nos desapegar.

Seja dono da sua própria pele

Uma ligação telefônica pode mudar sua vida. Essa é com certeza a mais fascinante realidade da minha existência. Como sou ator e apresentador, tive uma variedade de trabalhos muito maior do que a maioria das pessoas pode ter durante toda a vida. Também recebi muitos desses telefonemas que mudam uma vida.

Vou lembrar sempre de um que recebi, cinco anos atrás, na manhã de uma segunda-feira de agosto. Estava sentado na escrivaninha da minha casa, em Los Angeles.

"Alô?", eu disse, consciente de que havia passado a vida inteira usando essa saudação e ainda não conseguira decifrar seu significado.

"Au, Au" foi a resposta.

Assim começou minha conversa com um executivo da NBC Sports e minha participação no *National*

Dog Show, programa especial da NBC no dia de Ação de Graças.

Nestes cincos anos, desde que recebi esse telefonema incomum para apresentar o programa junto com o especialista David Frei, esse tem sido o evento anual mais agradável de minha carreira extravagantemente eclética. Todos os anos, em novembro, tenho a chance de passar um dia com minha esposa na Filadélfia com 2 mil dos mais belos cães de raça do país.

Nunca tive a pretensão de ser especialista em cães. Felizmente conto com o conhecimento do sr. Frei para fornecer as informações mais importantes sobre cada uma das mais de 150 raças apresentadas no programa.

O *National Dog Show* estreou em 2002. Foi quando comecei a descobrir a rica história dos kennel clubes e da criação de cães. Também aprendi que o programa tem tanto a ver com as pessoas quanto com os cachorros.

Também me deu a oportunidade de dizer algumas das coisas mais idiotas que já disse na tevê.

O sheepdog inglês e seu adestrador avançaram para fazer sua volta diante da jurada, uma mulher elegante, num vestido longo cinza, com ar de madre superiora. Se você não está familiarizado com essa raça, precisa saber que o cachorro de fato pesa cerca de 1 quilo, e os outros 35 quilos são constituídos por pêlos longos e filamentosos, que camuflam inteiramente o animal, incluindo a cara e os olhos. Parece um grande esfregão de algodão. A jurada logo iniciou seu trabalho, pegando chumaços de pêlos do dorso do cachorro e passando as mãos através da pelagem espessa.

Da cabine de transmissão, eu observava a cena com David, e dei início à minha função de apresentador formulando perguntas inteligentes.

– David, por favor, você pode descrever para nós o que a jurada está fazendo?

Início magnífico.

– Ela está apalpando o cachorro, John, para examinar o alinhamento das costas e dos quadris e verificar se satisfazem às normas do American Kennel Club (AKC). Ela precisa pôr as mãos debaixo de todos esses pêlos, pois eles podem estar ocultando um cão realmente ruim com uma tosa muito boa.

– Eu sei o que é isso. Participei do baile de formatura do colegial.

Opa!

Então a jurada deu a volta e começou a pegar os pêlos da cara do cachorro, separando-os.

– O que ela está fazendo agora, David?

Acertei o passo agora; esta pergunta é muito interessante.

– Ela está examinando a estrutura óssea da cabeça e afastando os pêlos para ver os olhos e avaliar a atenção do cachorro – ele afirmou, sem precisar pensar.

– Bem, se ela afastar todos esses pêlos e encontrar apenas um olho, é porque encontrou a extremidade errada do cachorro, não? – eu disse.

Ah, como o mundo dos programas sobre cachorros sobreviveria sem a minha perspicácia?

Apesar de todas essas indiscrições ao microfone, que dou um jeito de repetir todos os anos, vou e volto do programa todas as vezes com a mesma e importante impressão: os cachorros gostam de ser cachorros.

O *National Dog Show* é um programa de exposição de cães, e um dos últimos que restam. Os cães e seus donos devem permanecer na arena durante todo o evento. As áreas de exposição ficam abertas ao público, e todas as pessoas, principalmente as crianças, podem caminhar pelos corredores, ver de perto a variedade de raças e conversar com os donos, os adestradores e os criadores. Podem observar o banho, a arrumação e o embelezamento que deixam os cães prontos para o programa.

Para minha mulher e eu, o passeio pelos corredores é o ponto culminante da nossa estada. São várias centenas de cães em uma única arena. O que sempre me impressiona é que nenhum dos cães realmente dá importância ao programa. O programa é para as pessoas: o kennel clube, a rede de tevê, os donos, os criadores, os adestradores, os vendedores, os manobristas de carros e o público. Os cachorros estão felizes pelo simples fato de serem cachorros, e só ficam contentes mesmo quando voltam para casa enrolados em seus cobertores prediletos.

Na verdade, os cachorros gostam de ser os cachorros que são. Entre eles não há rivalidade; ainda que a competição entre eles seja a essência do evento. Vejo cada cão entrar no picadeiro com um passo largo que revela meses ou anos de treinamento cuidadoso. Eles param diante do jurado com a paciência de um santo, já que têm o corpo examinado sob todos os ângulos. No entanto, o investimento deles no evento acaba aí. Eles não têm consciência dos pontos fortes e fracos da própria constituição física. Ignoram a importância das decisões que estão sendo tomadas a respeito deles. Não sabem se estão ganhando ou perdendo. É provável que os perdedores lambam o vencedor e que o vencedor cheire todos os perdedores. Para os cães, é simplesmente uma oportunidade de tomar um banho quente, receber uma nova tosa, comer uma boa ração, dar uma bela volta pelo picadeiro e travar conhecimento com outros animais da espécie. De modo geral, um dia muito agradável.

Você nunca sente clima de inveja quando os poodles caminham lado a lado na competição dessa raça. Quando o grupo de cães miniatura entra no picadeiro, o yorkshire terrier não sente vontade de ser um chihuahua. O dachshund não quer ser um labrador preto, embora suspeite de algum tipo de afinidade profunda, já que Betty é uma mistura de ambos.

Nós nos importamos muito mais do que eles. O vencedor do programa desperta em nós uma empolgação que para eles não é importante.

Visito arenas em que essa empolgação foge do controle. Um desfile de beleza de seres humanos é um alarme de incêndio a ponto de ser disparado, e tenho tido a oportunidade de apresentar diversos desfiles; todas as formas, tamanhos e níveis de esplendor. Crianças, adolescentes, senhoritas e senhoras – até cães em trajes de gala. Entoei uma canção durante o desfile pela passarela para todos eles. Sob a luz dos holofotes, fiz perguntas a um sem-número de concorrentes sobre a paz mundial e valores familiares.

O que torna um desfile de beleza diferente é que as concorrentes dão muita importância ao resultado. Elas investiram muito nisso: os trajes, a maquilagem e, em alguns casos, as aulas de postura. Além disso, existem as despesas de viagem e, às vezes, o custo da cirurgia plástica.

Tenho certeza de que não deixei qualquer dúvida quanto à minha falta de conhecimento em relação aos cães, e também não me considero uma autoridade em comportamento humano por ser apresentador de tevê. Mas garanto que não tenho a sensação de alegria inocente nos bastidores de um desfile de beleza como tenho nos bastidores do *National Dog Show*. Sinto que há muita inveja no meio da expectativa da coroação e da empolgação de estar na tevê, e uma espécie de "espírito de pontuação" entre seres humanos que parece contradizer o espírito de celebração do palco. Já observei acessos de fúria porque uma concorrente estava tentando ofuscar outra, ou porque uma ocupava muito espaço no espelho do camarim.

No momento em que as lágrimas e os gritinhos cessam, depois de as concorrentes terem desfilado diante dos jurados para que estes tomassem a mais subjetiva das decisões, uma concorrente é finalmente coroada a mais bela. Ela atravessa a passarela e começa seu ano de flagrantes fotográficos.

Não pretendo ser cínico – afinal, costumo apresentar esses programas. Visto meu smoking e abro um sorriso afetado de orelha a orelha. Quem cala consente. Também não é o meu propósito pregar um sermão, mas não se pode passar por uma experiência como essa sem perceber que aquilo envolve um homem (ou uma mulher) que não está no seu melhor dia; que aqueles momentos apenas parecem salientar uma neurose doentia e inconfundivelmente humana pela qual sem uma coroa ou um título nunca nos achamos bom o suficiente.

Cinco anos atrás, quando apresentava o programa *To Tell the Truth*, uma das convidadas sentou-se no sofá antes do programa começar. Era a primeira vez que ia se apresentar em rede nacional de tevê e parecia nervosa. Como apareceríamos juntos, pensei que seria prudente ficarmos juntos antes do programa para nos conhecermos. Seu nome era Nana, e ela havia acabado de receber o título de Cadela mais Feia do Mundo.

Não tinha inscrito os concorrentes para o programa, e, de acordo com as regras da Federal Communications

Commission (FCC), não tinha nada a ver com a seleção. Assim, todos os convidados e suas histórias eram sempre uma surpresa para mim – especialmente esta.

O encontro no camarim, com toda a sinceridade, não foi acertado para o bem da cadela. Foi por minha causa. Eu é que estava me sentindo um pouco desconfortável. *Quão feia seria ela?*

Nana sentou no meu sofá, sentindo um calafrio que não conseguiu perder. Não se parecia com nenhum outro cão que eu já tivesse visto. Não consegui identificar qualquer sinal de alguma raça conhecida. Nana era pequena; talvez, 3 quilos. Seus dois olhos esbugalhados tinham cores diferentes. Suas pequenas orelhas pontudas projetavam-se para o alto. Sua pelagem era um frisado de diversas texturas. Ela não se sentia à vontade em pé, pois, devido a alguma deformidade em uma perna, mancava um pouco quando caminhava, o que provocava uma espécie de movimento que pendia para a esquerda.

Eu não queria que essa experiência se perdesse. Sempre trazia Betty e Scoshi para o estúdio, deixando que perambulassem entre as pessoas dos bastidores, que viravam sua família a cada 15 dias. Por isso quis que os dois conhecessem Nana.

Scoshi veio na frente e, imediatamente, como macho alfa, tentou brigar com Nana. A separação foi rápida, mas garanti a Nana que não houve nenhuma má intenção, e que Scoshi, sem dúvida, considerou-a uma adversária formidável, apesar das suas fragilidades, esperando que ela se encorajasse com isso. Betty veio em seguida. Foi como o encontro de almas afins. Elas se farejaram e se lamberam. Duas cadelas abandonadas e salvas, feitas de peças recuperadas, partilharam de um momento íntimo.

Nana ficou sentada sobre a minha mesa durante o programa. Na realidade, sua dona era a participante do jogo, e nosso júri de celebridades formulava perguntas para descobrir quem era ela entre os outros dois participantes impostores. Se os jurados tivessem observado atentamente a cadela, teriam descoberto a dona. Nana não tirava os olhos dela. A cadela ficou sentada ali, em rede nacional, sentindo calafrios, com o olhar fixo e querendo saber o que estava acontecendo.

Os cães, independentemente da raça, parecem ter forte senso de si mesmos, e captam isso com rapidez. Nós levamos muito mais tempo, e, às vezes, jamais conseguimos. Em muitas ocasiões, buscamos nas coisas externas a nós algo que possa nos definir: títulos, formação acadêmica e realizações. Nós deixamos nossa forma falar mais alto do que nosso conteúdo. Nós deixamos a mídia moldar nossas opiniões, sem dedicar um tempo para analisar e expressar o que acreditamos. Nós determinamos nosso valor pela nossa riqueza material, pelo nosso carro e pelo nosso endereço. Nós desejamos a emoção de um desfile pelo tapete vermelho em vez da serenidade de um passeio pela mata.

Em cada exemplo, o “nós” sou eu. Sou culpado de todas as acusações, e você pode esfregá-las na minha cara. Para mim, a elaboração de uma auto-imagem saudável foi o elemento mais desafiador no desenvolvimento do meu caráter.

Nos primeiros anos como adulto, eu não era um líder, mas um discípulo. Todos pareciam mais fortes e mais inteligentes, mais afiados com a língua, a mente e as idéias. Eu era facilmente influenciado pelos outros, pois achava que todos tinham uma idéia melhor do que a minha. Por mais que quisesse ser um líder para os outros, a verdade é que não era líder nem de mim mesmo.

A imagem que eu tinha de mim mesmo só começou a melhorar no momento em que comecei a fazer o que acreditava que devia fazer. Quando decidi me tornar ator, liguei-me a um propósito essencial na minha vida. É muito mais fácil nos sentirmos bem a respeito de nós mesmos quando estamos ligados a um propósito.

Enquanto reflito sobre isso, vejo Betty examinando os jardins do nosso quintal. Seu focinho preto faz uma busca entre as folhagens e flores, procurando algum novo cheiro, algum novo e pequeno sinal de vida que ela possa farejar, escavar com as patas e rolar por cima. É um ritual muito importante para ela, e vai durar horas. No momento em que Betty terminar, quando não houver mais cheiros a descobrir, ela vai voltar para dentro de casa, deitar-se sobre meus pés e fechar os olhos, totalmente esgotada pelo senso de propósito.

Eu lembro que, quando tinha 3 e 4 anos, ficava vagueando ao lado da cerca viva de roseiras que separava nossa casa em East Hartford dos nossos vizinhos. Foi um ano antes de mudarmos para Natick, em Massachusetts, ganharmos Taffy, nosso dachshund, e descobrir as maravilhas da lagoa. Mas eu tratava aquelas roseiras com a mesma fascinação e respeito. Durante horas, eu observava com cuidado cada galho, cada flor, e com cuidado ainda maior, com habilidade quase cirúrgica, removia todos os escaravelhos que agarravam e consumiam as belas flores. Por mais rápido que removesse os escaravelhos, um número ainda maior sempre aparecia. Às vezes, devido à grande quantidade, eles se agrupavam e se grudavam, executando um pequeno número circense. Juntava todos num grande pote de vidro de maionese para impedir que causassem danos. No dia seguinte, outros apareciam, desafiando meu exaustivo trabalho do dia anterior. Isso apenas aumentava meu compromisso com o propósito de ser o Grande Exterminador.

Quando criança, era tão fácil encontrar um propósito quanto descartá-lo. Certo dia, o pote dos escaravelhos sumiu, a cerca viva desapareceu, e eles foram substituídos por uma lagoa e uma rede de pegar tartarugas. Um cão, no entanto, nunca se desgarra de seu propósito. Os anos podem passar, mas um cão de caça sempre irá cavar e um retriever sempre irá atrás da caça, e Betty, sendo uma mistura, sempre fará as duas coisas. Isso é o que torna um cão feliz.

Quando ficamos adultos, também é importante encontrarmos um foco para nossa vida, seja uma carreira, filhos, animais de estimação, um hobby, um projeto ou fé – ou uma combinação dessas coisas. Por meio do nosso foco, adquirimos a serena confiança de que aquilo que *somos* é suficiente, de que não precisamos olhar para fora de nós mesmos em busca de confirmação. Apesar de que, se encontrarmos alguém que afague nossa cabeça ou acaricie nossa barriga, também será bom. Porém, nenhum prêmio, título ou acessório pode proporcionar a sensação serena de realização de uma auto-imagem saudável. Só conseguimos sentir essa alegria quando nos tornamos donos da nossa própria pele.

Tenho a companhia de cães para nunca esquecer isso. Seja o Vencedor do Concurso ou o Mais Feio do Mundo, os títulos vão e vêm, e felizmente não parecem importantes. Apenas uma única coisa permanece constante: os cães gostam de ser cães, e gostam de ser os cães que são.

Ainda tenho de conquistar o título de Vencedor do Concurso, e, até agora, tive sorte de não ser chamado de o Mais Feio do Mundo. Entre esses dois extremos, conquistei algum reconhecimento, e isso é suficiente.

No entanto, talvez algum dia – e esse é o poder da minha imaginação embriagada falando neste momento – eu possa sentir a emoção de um desfile pelo tapete vermelho para receber uma almejada estatueta dourada. Perguntome se, no mais revelador dos momentos, minhas convicções me darão coragem para proclamar estas palavras no discurso de agradecimento:

Foi a chance de tomar um banho quente, fazer um novo corte de cabelo, comer uma boa comida, desfilar pelo tapete vermelho e travar conhecimento com outras pessoas. De modo geral, um dia muito agradável.

Por isso... gostaria de agradecer à Academia.

Nunca perca uma soneca

Enquanto meus dedos passeiam pelas teclas do meu laptop, sinto-me muito confiante para dizer, sem sombra de dúvida, que há um cão dormindo aos meus pés. Não sei qual dos dois, pois a tela atrapalha minha visão, mas sinto com absoluta certeza a presença de um cão adormecido.

Sim, eu sabia. É Betty. Ela está deitada de lado, na ponta da cama. Devia ter percebido isso por causa de seu padrão irregular de respiração. É como se ela roncasse através de um labirinto. As pernas dela se contraem um pouco, e Betty produz um som ligeiramente lamuriento, o que significa que está tendo um pesadelo. Dada sua limitada experiência de vida, suponho que esteja sonhando que não consegue encontrar sua tigela na cozinha. Porém, ela dorme profundamente, bem no meio da sua soneca do meio da manhã.

Durante o dia, ela vai tirar outras sonecas. Esta é a primeira de muitas, e Scoshi vai se juntar a ela. Há sonecas ao meio-dia, no meio da tarde, depois do jantar e antes de ir para a cama. Entre as sonecas, Betty e Scoshi farão duas refeições, realizarão três ou quatro passeios, vão se dedicar à mastigação, atacarão diversos brinquedos, darão muitas espanadas e passarão por diversos momentos de contemplação. Mas não se engane: as sonecas predominam. Scoshi e Betty são duas máquinas de tirar soneca.

Os cães adoram dormir. De fato, admiro a capacidade que têm de adormecer e despertar quando lhes dá vontade. Não é algo que consigo fazer com consistência, nem algo que consigo fazer sem o uso de um sedativo ocasional. Ao contrário dos meus cães, tenho tido um relacionamento agitado com o sono até onde consigo lembrar.

Quando criança, precisava dormir com um cobertor que se chamava Bombie. Não tenho certeza se fiz um concurso para a escolha do nome, ou se era apenas um dos meus nomes favoritos no meu vocabulário de sete palavras, mas Bombie e eu tivemos três ótimos anos de sonecas e noites juntos. No fim, Bombie se rendeu ao ciclo de lavagem e centrifugação, e o que restou foi apenas o pedacinho de um canto, que minha mãe amarrou no meu travesseiro. Enfim, desapareceu totalmente – mais ou menos na mesma época em que descobri o colo do meu avô.

Todas as coisas se tornavam compreensíveis no colo do meu avô, em especial uma soneca. Foi o momento em que o tabaco do cachimbo com sabor de cereja e a flanela puída da calça misturaram-se com o pirulito sabor cereja e meus tênis infantis. Era a encruzilhada onde a sabedoria encontrava o encantamento. Nos quatro primeiros anos da minha vida, vi o mundo dessa posição privilegiada. O mundo passava, página por página, em revistas, com a cuidadosa narração do meu avô a respeito de lugares desconhecidos para mim e para ele. A maioria eram revistas sobre barcos.

Meu avô era um sábio no sentido mais verdadeiro. Foi o responsável pelo meu amor precoce pelo ar livre. Ele até construiu um barco no sótão de sua casa. Era uma bela lancha de madeira, feita à mão, perfeita para uma pescaria no rio Connecticut. No momento em que o barco ficou pronto, no entanto, era muito grande para ser tirado de dentro da casa por métodos convencionais. Isso provocou comoção na vizinhança, e o barco no sótão ficou conhecido como "A loucura do George". Mas a vizinhança não sabia que meu avô era um sábio. Ele simplesmente removeu um lado da casa, tirou o barco e depois recolocou a parede. Tudo sem a ajuda de ninguém.

Convivi com meu avô por quatro anos apenas. Ele foi para o hospital um dia e não voltou mais. Não sabia o que tinha acontecido, mas lembro que todos ficaram muito tristes. Depois disso, lembro das visitas a uma lápide de mármore posta sobre um gramado. O nome dele estava sobre esse retângulo, mas ele não estava em lugar algum ao redor. Perdera meu avô e seu colo, minha posição privilegiada favorita. Teria de aprender a ver o mundo de outras maneiras.

Reagi envolvendo-me mais com minha avó. Sempre gostei dela, mas gostava mais do meu avô porque ele tinha o colo e as revistas sobre barcos. Na ausência dele, ela se tornou minha favorita, e eu a visitava nos fins de semana no estado vizinho de Connecticut sempre que meus pais deixavam.

Porém, minha avó era diferente do meu avô. Ela gostava ternamente de mim, e eu adorava suas panquecas, sua sopa de tomate, seus sanduíches de queijo quente e seu espaguete. Sua cozinha era insuperável; afinal, ela só fazia as coisas de que eu gostava. Também adorava passar o tempo com ela. Mas era diferente do tempo em que eu ficava no colo do meu avô. Minha avó não pescava, não sabia nada sobre barcos e não tinha nenhuma revista. Enquanto meu avô gostava de fazer coisas, minha avó gostava de tirar uma soneca.

Na realidade, minha avó era uma dorminhoca profissional. Ela podia tirar uma soneca a qualquer momento e em qualquer lugar. Era capaz de cochilar na casa dela ou na nossa casa, onde se sentia como se fosse o time visitante. Quando tinha vontade de cochilar, queria companhia. Muitos anos depois, aprendi que mal de muitos consolo é, mas, naquele caso, no começo da minha vida, aprendi que a inatividade também.

Com 4 anos, no entanto, eu era muito ativo e tinha alcançado a idade da anti-soneca. O cochilo era para os bebês e, aparentemente, também para as avós. Na minha jovem opinião, uma soneca interrompia e arruinava a melhor parte do dia – a do meio –, quando há muita coisa para se fazer. Além disso, minha avó roncava, o que tornava o cochilo não apenas desagradável, mas também impossível.

Assim, eu procurava outras atividades enquanto minha avó roncava algumas horas todas as tardes. Certo dia, a vizinha do outro lado da rua me convidou para brincar com seu filho, que tinha mais ou menos a minha idade, na piscina de plástico. O único problema era que eu não tinha calção de banho. Por isso, acordei minha avó para falar do convite e do meu problema. Acho que devo ter interrompido um sono profundo, pois a solução que ela sugeriu mostrou certa falta de discernimento.

Minha avó se lembrou de que eu havia esquecido uma cueca na minha última visita, duas semanas antes. Disse que poderia usá-la como calção de banho. Boa idéia, exceto pelo fato de que eu não havia estado ali duas semanas antes, mas sim minha irmã mais velha, Carol, que esquecera uma calcinha com babados, modelo 1959. Mas, em sua sonolência, minha avó estava confundindo minha irmã e eu, assim como nossas roupas de baixo. Quanto mais eu resistia, mais minha avó insistia. Pouco depois, quando a poeira onírica baixou, minha avó voltou a cochilar. A porta da frente se abriu, e comecei minha longa e envergonhada caminhada pela rua para brincar com um menino que mal conhecia, e entrei numa piscininha de plástico usando uma calcinha cheia de babados. Sentei na água tentando negar que estava usando a calcinha de menina, mas logo desisti dessa idéia e decidi usar toda a minha energia para jogar água no filho da vizinha, tentando convencer um menino de 5 anos de que eu não era um travesti. Enquanto isso, minha avó continuava cochilando. Nunca me dei o trabalho de contar para ela sobre as conseqüências da sua confusão.

Depois disso, eu não fiquei revoltado apenas com a idéia de tirar uma soneca, mas também com a idéia de dormir em geral. Durante algum tempo, foi como se meu único desejo na vida fosse adiar a hora de ir para a cama todas as noites. Era como se imaginasse que algo maravilhoso pudesse acontecer de madrugada. Os mais velhos sabiam disso, contudo não deixavam que os mais novos soubessem. Quanto mais tarde você ficasse acordado, mais divertido seria.

Meu pai me levou para assistir a um jogo do Red Sox, no Fenway Park, em Boston, na última temporada de Ted Williams no time, em 1960. Tinha então 5 anos de idade. A glória de um jogo crepuscular, sob os arcos sagrados do estádio de Fenway, na presença de um dos maiores jogadores de todos os tempos, era imensa, mas algo menor levando em consideração o fato de que iria ficar acordado até depois da meia-noite. Ficava perguntando as horas ao meu pai a cada turno do jogo. Quando a partida terminou, ele me colocou no banco traseiro do carro para a viagem de meia hora até nossa casa. Pedi que ele me avisasse quando fosse meia-noite. Faltavam apenas 15 minutos. Ao soar da meia-noite, ele olhou pelo espelho retrovisor e eu já dormia profundamente. Uma noite que prometia tanto...

Se quisesse ficar adulto, tinha de ficar acordado, eu pensava. Acho que me tornei uma pessoa adulta na noite em que fiquei acordado até tão tarde quanto meus pais. No ensino médio, estendi em uma hora ou duas o limite da hora de me recolher para sentir que estava vivendo no perigoso outro lado da noite. Na faculdade, ia dormir ainda mais tarde, pois pela primeira vez estava morando longe de casa e era o único responsável pela hora de ir para a cama. Ficar acordado a noite toda virou um hábito, tanto para estudar como para me divertir; e o café-da-manhã tornou-se o final perfeito de uma noite perfeita.

No entanto, a grande ironia era que, depois que pegava no sono, eu não queria acordar. De manhã, não conseguia sair da cama. Quando eu era criança, costumava colocar o despertador para as sete e meia nas manhãs de sábado. Dessa maneira, podia acordar, desligar o despertador e desfrutar a sensação de poder voltar a dormir.

Não sei com que idade finalmente descobri que dormir era um hábito necessário para a sobrevivência humana; que o corpo precisava se revitalizar. Mas imagino que não foi o bom senso médico a respeito dessa questão que me levou à moderação. Foi uma conclusão a que cheguei depois de anos de experiência: nada construtivo ocorre depois da meia-noite.

Ter uma boa noite de sono é uma coisa, mas tirar uma soneca é outra. Na casa dos 30 anos, desenvolvi o hábito mais maduro de dormir num horário mais maduro da noite, mas os cochilos ainda eram um ponto sensível.

A questão central, na realidade, é o controle. As pessoas como eu, que não gostam de parecer que não têm o controle, sentem dificuldade em admitir que estão cansadas e precisam tirar uma soneca. Era capaz de dirigir meu carro até tarde da noite, com os olhos embaçados de sono, antes de deixar que alguém pegasse a direção ou de encostar para fechar os olhos por um momento; um exagero potencialmente perigoso. Se alguém me pegava meio adormecido, meu instinto era pedir desculpas: "Sinto muito, só fechei os olhos por um instante." Se alguém me telefonava quando estava quase dormindo, nunca respondia com a voz sonolenta. Nunca deixe as pessoas verem que você transpira; nunca deixe as pessoas saberem que você tem o hábito de cochilar.

Tirar uma soneca é um ato de vulnerabilidade. É uma aceitação da nossa fragilidade enquanto seres humanos. Precisamos nos reabastecer, nunca estamos totalmente completos. O músculo cardíaco tem a chance de se restabelecer; as células, de se purificar e se consertar; e os fluxos hormonais de nosso corpo, de se reequilibrar.

Betty e Scoshi não precisam de um convite para tirar uma soneca. Quando estão cansados, enroscam o corpo e fecham os olhos. Não são capazes de enfrentar um dia cheio de passeios e brincadeiras sem descanso suficiente. Eles sabem disso e sempre souberam. A partir do momento em que a mãe dá à luz a ninhada, os cachorrinhos tornam-se senhores da própria hora de dormir e de todas os seus cochilos. O sono não é uma questão de controle para os cães. Não é uma questão de aceitar sua fragilidade. Os cães dormem porque sentem cansaço.

Minha mulher, como os cães, é uma dorminhoca. Assim, tive de me submeter à maioria. Criamos uma tradição: a Soneca Vespertina de Domingo. Nós nos enroscamos uns nos outros – os cachorros, minha mulher e eu – e cochilamos. Passei a apreciar esse momento como o encerramento tranqüilo de uma semana atribulada. Durante uma hora, nos agrupamos para nos revigorar e nos renovar. Durante uma hora, posso abraçar minha família. Durante uma hora, eu fico sem o controle. Durante uma hora, sinto a vulnerabilidade do que significa ser um frágil ser humano.

Não tinha mais sentido essa vulnerabilidade desde que sentei na piscina de plástico usando a calcinha da minha irmã.

Você tem o tamanho que acha que tem

Supõe-se que as boas cercas façam bons vizinhos. Entre a nossa casa em Los Angeles e a dos nossos vizinhos há uma cerca portentosa.

Cercas de tela como esta pontuam as colinas de Hollywood. Ela tem mais de 3,5 metros de altura e está fincada no solo a 1 metro de profundidade. Foi projetada com a melhor das intenções – não para afastar os vizinhos, ou os intrusos, embora, sem dúvida, faça as duas coisas. Foi feita, sim, para impedir o acesso dos coiotes, que vagam pelas colinas em matilhas, atacando animais de estimação e bens da propriedade. Embora os coiotes sejam capazes de saltar sobre cercas altas num único pulo, aparentemente nenhum deles ainda conseguiu superar a marca de 3,5 metros.

As cercas mantêm os coiotes sob controle. Embora também me resguarde de qualquer contato significativo com meus vizinhos, não impede a confrontação diária de Scoshi com os dele. Durante muitos anos, fomos vizinhos de pessoas que raramente vi, mas Scoshi era vizinho de dois enormes dobermans pinscher. Todas as manhãs, depois do café, ele costumava ir até a cerca para trocar cabeçadas com aqueles dois animais gigantescos. Assim que eu abria a porta, Scoshi saía em disparada. Não precisava de palavras de estímulo, nem de preparativos para a batalha. Quando chegava no jardim lateral, os dobermans já estavam junto à cerca esperando por ele. A última manobra de Scoshi era um salto de 1,2 metro de altura contra a cerca para adverti-los sobre sua chegada.

Quando a voz de Scoshi está boa, seu latido corresponde ao de sete cães. Os dobermans tinham latidos graves e sonoros, e os três juntos formavam um coro que enchia as colinas de Hollywood de uma cacofonia comparável a um espetáculo dos Rolling Stones.

Tratava-se de uma discussão sobre o gramado. Eles discutiam a respeito dos limites de cada um. A cerca de aço mantinha a disputa equilibrada, embora o focinho de Scoshi fosse estreito o suficiente para passar entre os vãos da tela e dar algumas mordiscadas inofensivas. A poeira levantava e a cerca era sacudida com o peso dos três cachorros se arremessando contra ela.

A Grande Disputa da Fronteira começou antes de Betty vir morar conosco. Ela entrou em nossa vida cerca de um ano depois. Apesar de não ter temperamento agressivo, ela rapidamente cerrou fileiras na cerca todas as manhãs para mostrar a unidade familiar e proteger seu novo irmão.

Então, os vizinhos se mudaram, para onde ou por quê, não sei. Certa manhã ensolarada, notei que os dobermans tinham sido substituídos por um são-bernardo e por um labrador preto. (Cachorros de grande porte deviam fazer parte das condições para a venda da propriedade.) A nova versão da Grande Disputa da Fronteira assumiu quase a mesma forma, exceto pelo fato de que o são-bernardo agregou uma dose saudável de saliva à confusão, o que aumentou a ação referente à luta romana na lama.

A Grande Disputa da Fronteira tinha toda a cara de uma boa briga de pátio de escola. Mas a altercação parecia estar quase sempre ligada à questão do respeito. Os cães estavam definindo entre eles os mesmos limites que definimos nós, seres humanos, só que fazemos isso de maneira mais indireta, por meio de divisas de propriedade, ações judiciais, comissões de zoneamento e conselhos de cooperação. Em vez de nos jogarmos contra a cerca, mandamos nossos advogados. Deixamos que eles briguem por nós até atingirmos o ponto em que não faz mais sentido latir e insultar. Então, chegamos a um certo nível de acordo, dando a impressão de que todo mundo conservou uma parte do gramado e algum respeito próprio.

O que diferencia a insociabilidade diária dos cães e as nossas confrontações razoáveis é que, para nós, o tamanho importa. Normalmente, avaliamos tanto o tamanho quanto a força dos nossos adversários, antes de tentarmos tirar o primeiro sangue. Os cães não percebem se são grandes ou pequenos, ou o que isso significa. Os cachorros dos nossos vizinhos tinham quatro vezes o tamanho e o peso de Betty e de Scoshi. Para mim, isso seria o equivalente a um confronto com um homem de mais de 7 metros de altura, pesando um quarto de tonelada, como exercício diário.

Eu realmente fiz isso uma vez quando era mais jovem, fato que causou grande impressão.

Com 12 anos de idade, percebi que estava preso a um corpo que não evoluía no ritmo do restante da humanidade. Eu era alto, magro e desengonçado, sem muitos músculos. Era um espécime selvagem, que poderia ser facilmente eliminado se a natureza decidisse reduzir o rebanho.

A escola estava se tornando um lugar especialmente perigoso por causa da minha falta de desenvolvimento físico. Da noite para o dia, o foco do recreio passou da brincadeira de pega-pega para uma disputa territorial empreendida por chacais hostis (graças ao turbilhão dos nossos hormônios na sétima série). Todos os dias, parecia que alguém estava dando cabeçadas em outra pessoa. Em vez de brigarem mano a mano, os meninos da minha classe se organizavam em turmas. Para mim, foi uma época de muita tensão, pois, de vez em quando, meu cheiro cruzava o caminho deles quando saíam atrás de uma presa fácil. Por isso tive de aprender a afiar a língua e a polir minha inteligência para provocar uma agitação concentrada. E sempre à custa do meu respeito próprio. Era como suplicar por sua vida para um urso pardo, tentando convencê-lo de que você não era saboroso.

Percebi que precisava fazer alguma coisa para assegurar minha sobrevivência. Assim, matriculei-me nas aulas de judô, nas quais aprendi a dar golpes e a abrir caminho à força. Logo, no entanto, ocorreu-me que essa arte me deixava em evidente desvantagem, pois para acertar alguém eu precisava chegar bem perto deles. Na verdade, perto o suficiente para dar a eles uma chance de me surrar antes que eu conseguisse usar a gravidade contra eles. Por isso fui atrás de outra arte marcial: o caratê. O caratê era perfeito para mim. Na minha cabeça, os pontapés e os golpes rápidos superavam os puxões e as rasteiras. Podia realizar meus truques marciais de uma distância segura, correspondente aos meus braços e pernas extralongos.

Em poucas semanas, o caratê se tornou minha paixão. Tinha aulas na Associação Cristã de Moços, em Connecticut, e quando, enfim, consegui convencer meus pais de que precisava passar para um nível mais adiantado, eles passaram a me levar, aos sábados, a uma academia de caratê de verdade. Economizei cada centavo até conseguir comprar um *gi*, o traje oficial do caratê. O porão da nossa casa virou meu campo de treinamento secreto –

meu *dojo* – formado, principalmente, pelas almofadas dos sofás.

Certa noite, meu pai, que era médico, chegou em casa depois de um dia particularmente cansativo de trabalho. Encontrou-me na sala de estar, vestido com meu *gi*. Eu *precisava* mostrar para ele o que aprendera no treino daquele dia. Meu pai mal teve tempo de tirar o paletó e se livrar da maleta preta, pois o arrastei até o meio da sala e pedi que assumisse uma postura ameaçadora, como se quisesse me estrangular (algo que, sem dúvida, estava lhe dando motivo para considerar). No momento em que ele assumiu a postura solicitada, adotei a Posição – uma postura de equilíbrio e preparação, na qual o corpo está em perfeita harmonia fluída, pronto para desferir o golpe. Com seus braços visando diretamente meu pescoço, num abrir e fechar de olhos, atirei os braços para o alto, separando os de meu pai, afastando-os para os lados. Em seguida, dei um pontapé nos testículos dele.

Eu realmente nunca tinha ouvido alguém fazer o som que meu pai fez. Era uma espécie de protesto grave, como se o ar tivesse deixado seu corpo numa única expiração dramática. Seus olhos se fecharam firmemente. Meu pai desapareceu bem rápido, subiu para seu quarto, e não reapareceu até a manhã seguinte.

Numa tarde de sábado, tive a oportunidade de testar meu ardor físico (em outra pessoa que não meu pobre pai) na mais surpreendente das situações. A escola local estava patrocinando um parque de diversões completo. Atraiu quase todos os jovens da cidade, já que não havia nenhum outro lugar para ir. Fui até lá sozinho e caminhei pelo parque de diversões durante a maior parte da tarde. No final do dia, quando comecei a voltar para casa, peguei a direção da frente da escola e passei pelo playground, onde ficavam os balanços e as gangorras. Duas meninas estavam se balançando para trás e para frente, conversando. Nunca as tinha visto. Eram mais velhas, talvez 13 ou 14 anos, fato que as tornou imediatamente atraentes. Uma delas tinha olhos castanhos e cabelos lindos, longos e ruivos, que pareciam passados a ferro. A outra estava usando a última moda: jeans rasgados. Tudo isso fazia com que fossem mais do que atraentes. Eram de fato um estouro. Mas estavam em uma situação embaraçosa. Havia dois garotos perto delas, apoiados nos suportes metálicos, importunando-as. As meninas não estavam gostando daquilo, presumi então que elas, sem dúvida, preferiam ficar sozinhas.

Também nunca tinha visto os dois garotos. Tinham mais ou menos a mesma idade das meninas, mas eram maiores do que eu e, ao que tudo indicava, jogavam em todos os times de que eu havia sido dispensado. Na realidade, seus músculos quase não cabiam nos jeans e nas camisetas que estavam usando. Nada disso importava para mim. Tinha treinado para aquele momento. Era um jovem Dom Quixote, pronto para enfrentar moinhos de vento e gigantes.

Uma situação como aquela pedia as palavras certas.

"Por que vocês não deixam as meninas em paz?", perguntei com a voz mais grave que consegui, como se alguém tivesse acabado de me pôr a estrela de xerife.

Foi assim que conduzi a conversa – pura poesia. Recordando o fato com a sabedoria dos anos, fico surpreso que uma das meninas não tenha saído do balanço e me dado um tapa.

A estupidez da minha pergunta foi como tingir as águas de sangue. Eles imediatamente desviaram a atenção das garotas e enrugaram a testa na minha direção. As meninas aproveitaram esse momento para empreender uma saída rápida e silenciosa. Ficamos apenas eu e eles.

Quando atingi a cerca da escola, o som foi o mesmo que Scoshi faria ao chacoalhar a cerca para atacar os cachorros do vizinho mais ou menos trinta anos mais tarde. A única diferença era que Scoshi era proativo, e eu estava recuando devido a alguma coisa que havia me acertado tão depressa que eu não sabia o que era. Ainda não sei.

"Então você é um cara valentão, hein?" Imagino que essa tenha sido um pergunta retórica.

Quando bati o rosto contra a cerca, o choque despertou o guerreiro que havia em mim, com a experiência de combate de seis semanas. O que se seguiu foi apenas a forma mais pura de instinto, livre de qualquer reflexão. Fixei o olhar em meus adversários. Minhas mãos se ergueram de leve, as pernas curvaram ligeiramente, as costas se endireitaram e os ombros se nivelaram. Assumi a Posição.

Dizem que é o olhar do tigre que mata sua presa. A intensidade do olhar queima tal qual um *laser* atravessando o coração da vítima. Ela fica paralisada de medo. Balancei o corpo intencionalmente, de um pé para o outro, movimentando as mãos em pequenos círculos. Sentia o poder do equilíbrio perfeito, a carga de adrenalina. Estava preparado para o combate.

Mas não para o que aconteceu. Não estava preparado para as gargalhadas. Quanto mais deslocava meu peso e girava as mãos, mais eles gargalhavam. Começaram a imitar meus movimentos, golpeando o ar com as mãos e gritando como Charlie Chan: "Uuu, aah!"

Mantive a Posição enquanto eles zombavam e dançavam ao meu redor. De repente senti que estava vendo a história sagrada das lutas marciais se desmanchar no ar. Eles continuaram a gargalhar, dando tapas nas costas um do outro, cortando o ar com golpes e dando pontapés no vazio. Por fim, eles se viraram e foram embora.

A sensação de alívio se misturou com a sensação de vergonha. Provavelmente escapara da pior surra da minha vida, e tinha de agradecer por isso. Mas, por outro lado, percebi que, apesar de todo o treinamento, da roupa e da preparação, eu não constituía qualquer tipo de ameaça. Eu era simplesmente entretenimento.

Não continuei com as aulas de artes marciais. Em vez disso, comprei uma guitarra elétrica, e o guerreiro logo se tornou poeta. O vento havia sido arrancado de minhas velas. Se aprendi algo com essa experiência, foi que talvez tivesse de esperar a puberdade para ganhar corpo e que deveria parar de procurar donzelas em perigo.

Felizmente, meus cães me ensinaram mais sobre confrontos do que jamais consegui aprender sozinho. Temos o tamanho que achamos que temos. Ninguém pode fazer você parecer menor; você tem de fazer isso por eles.

Aquilo que nos faz encolher e recuar diante do confronto é a falta de confiança serena a respeito das nossas convicções. É a fé no que acreditamos que nós dá forças para nos expressarmos. Os pais de minha mulher têm uma minúscula terrier yorkshire chamada Chloe, que se pavoneia pela ruas de Vail, no Colorado, como se fosse a prefeita eleita. Ela encara qualquer cachorro de qualquer tamanho, mas, na maior parte da sua vida pública, anda como se estivesse encabeçando o próprio desfile. Talvez seja essa a mensagem que não compreendi nas artes marciais. Usei o caratê para comprar uma causa em vez de permitir que me ajudasse a descobrir a confiança em quem sou, dando-me a força e a sabedoria para defender aquilo em que acredito.

Os cães parecem se confrontar de maneira natural, enquanto os seres humanos se confrontam condicionalmente. O que torna essa observação mais interessante é que os confrontos dos cães são físicos; os confrontos entre seres humanos adultos quase não vão além do conflito verbal. Depois que passamos da idade das brigas no pátio da escola, a maioria das nossas brigas é feita com a boca e não com os punhos. Por causa disso, temos o amortecedor metafórico da cerca com tela entre nossos adversários e nós. Uma batalha de palavras não nos despedaça, nem nos machuca – não fisicamente, pelo menos. Não há paus nem pedras. Se houver, contrate um bom advogado.

Nós nos definimos não apenas por aquilo a que dizemos "sim", mas também pela coragem de dizer "não". Muitas vezes, concordamos com o *status quo* em vez de despendermos a energia necessária para promover uma mudança. No entanto, o confronto é uma parte saudável e essencial ao espaço compartilhado deste planeta. É o motivo pelo qual colocamos cercas logo de cara. São as fronteiras definindo quem somos e onde estamos. Durante toda a nossa vida, precisamos continuamente definir as cercas em relação ao mundo ao redor. Às vezes, significa que temos de ficar junto da cerca, aquela linha branca que diz quem somos e o que somos – e imaginar o gigante dentro de nós.

Se você está contente, abane o rabo

Quando funciona adequadamente, Nova York é uma máquina bem azeitada. Há táxis à vontade, uma brisa suave limpa o ar, os Yanks e os Mets ganham os jogos, a porta do metrô pára exatamente onde você está, e um *Daily News* abandonado está esperando por você no assento do vagão. A porta do elevador está aberta e esperando no térreo sem ninguém dentro, e você chega aonde precisa sem qualquer coisa presa à sola do seu sapato.

Quando não funciona, porém, Nova York é um labirinto de dificuldades. Se estiver chovendo, todos os guarda-chuvas se abrirão, o que, imediatamente, triplicará a população de pedestres. Se estiver ventando, a cidade irá se tornar um redemoinho de jornais, lixo e topetes postiços. Um serviço em greve afeta todos os outros. Todos os táxis vazios que passam estão se recolhendo. Tudo o que você pensou em fazer, dez pessoas pensaram, exatamente ao mesmo tempo, antes de você. A fila sempre parece mais longa na sua frente do que atrás.

Assim, você tem de avaliar como a cidade está funcionando no dia em que precisa percorrer um trajeto tão importante quanto aquele do meu encontro vespertino com Clayton.

Eu iria me encontrar com Clayton no Hospital Infantil Morgan Stanley de Nova York, na esquina da Broadway com a rua 166, em Manhattan. O encontro foi idéia minha, e foi difícil arrumar um horário a sós com ele dadas as complexidades de um agendamento no exigente mundo da assistência médica.

Eu estava vindo da Union Square, na parte baixa da cidade. Era um belo e agradável dia de inverno. Os Mets e os Yanks ainda nem tinham começado os treinos de primavera, mas Manhattan parecia estar funcionando perfeitamente naquele dia. Por isso resolvi testar o metrô para a viagem subterrânea através de 150 quarteirões. Sem dúvida, na plataforma de embarque, a porta do metrô parou bem diante de mim. Alguém tinha deixado um exemplar do *Daily News* no assento vazio do meu vagão. Assim, desdobrei o jornal, cruzei as pernas e me acomodei para uma longa viagem de inverno.

Enquanto rumávamos na direção norte da cidade, o vagão lentamente começou a se encher de passageiros.

Algo que mal percebi, pois estava ocupado lendo o jornal. Talvez pelo fato de esse jornal específico parecer se alinhar com meu conhecimento "tão despreocupado" dos eventos mundiais, um artigo sobre o aumento vertiginoso dos valores dos imóveis de Manhattan prendeu toda a minha atenção. Só percebi que o metrô havia parado na estação da rua 168 quando as portas se abriram. Tentei me levantar num pulo, para não perder a parada, e tive uma sensação de pânico misturado com um formigamento: minha perna estava adormecida. Completamente. De tal forma que não consegui sentir a perna quando usei ambas as mãos para descruzá-la. Minha perna atingiu o piso do vagão com um baque cavernoso, e logo percebi, quando tentei mas não consegui ficar em pé, que não sairia a tempo do vagão. Voltei a me sentar, as portas se fecharam, e o vagão começou a lentamente se afastar da estação. Olhei para meu relógio e descobri que iria me atrasar para o encontro com Clayton.

Só quando chegamos à última estação de Manhattan, em pleno Bronx, consegui recuperar a circulação de minha perna estropiada, tornando-a útil novamente. Saí do vagão e comprei outro bilhete para pegar o metrô na direção do centro da cidade.

Estava 20 minutos atrasado quando cheguei ao hospital. Andando com passos largos pela rampa em caracol na direção do saguão, encontrei Clayton me esperando.

Nunca o tinha visto, mas foi fácil reconhecê-lo: era o único cão no saguão do hospital.

Clayton é um labrador preto com 10 anos de idade. Usa um crachá do hospital com sua foto preso na coleira, indicando sua condição de integrante oficial da equipe de 14 cães terapeutas. A equipe faz parte de um programa chamado Angel on a Leash [anjo numa guia], criado pelo Westminster Kennel Club e que treina cães para interagirem com pacientes de todas as idades e condições clínicas. Quando ouvi falar desse programa pela primeira vez anos atrás, fiquei imediatamente tocado pelo seu espírito e também pelas complicações inerentes. Os cães não parecem combinar com ambientes esterilizados. Por isso queria acompanhar Clayton numa visita de um dia.

Também fiquei interessado na possibilidade de isso ser uma oportunidade maravilhosa para Betty, que, por ser uma das criaturas mais bondosas do planeta, poderia ser uma boa candidata a cão terapeuta.

Todos os cães do programa passam por rigoroso treinamento e certificação. Devem reagir a comandos de voz e demonstrar serena disposição em diversas situações sociais. São banhados antes de cada visita e sentam-se num lençol especial quando estão na cama de um paciente. Não podem lamber, e as mãos do paciente são lavadas depois da visita.

Às vezes, os cães fazem apenas uma visita para trazer alegria ao paciente. Outras vezes, ajudam o paciente numa sessão de fisioterapia. A necessidade de alcançar e acariciar um cão pode fortalecer e alongar músculos atrofiados ou não-desenvolvidos. Em momentos mais críticos, a presença tranqüilizadora de um cão como Clayton tanto permitiu que vítimas relutantes revelassem casos de abuso físico ou sexual, como ajudou doentes crônicos em surtos de depressão.

Clayton foi treinado, a princípio, como cão-guia para cegos, o que, suponho, lhe conferiu grande respeito dos outros cães no campo de treinamento dos recrutas da Marinha. Devido a questões médicas secundárias, foi honrosamente realocado para sua função atual. Ele tem uma doçura inconfundível no olhar e o constante abano do rabo tão característicos de sua raça.

Como prova adicional do seu treinamento como cão-guia, Clayton acompanha com inteligência e cautela o ritmo de sua adestradora, Greer Griffith. Greer não só dedica seu tempo como voluntária nas visitas dos cães terapeutas, como também participa da Delta Society, a instituição que treina e certifica os cães. Ela possui uma maravilhosa mistura de delicadeza e autoconfiança que a ajuda a se comunicar facilmente com as crianças internadas na pediatria e também a manter um cão de acordo com a política e as normas.

No primeiro andar que visitamos, senti uma mistura estranha de sensações. O sol brilhava através das janelas, emoldurando uma vista espetacular de toda Manhattan.

As paredes estavam cobertas com murais imensos, pintados à mão, de histórias infantis clássicas, cada um com um verso inspirado de esperança e compromisso. Mas nem mesmo desenhos e cores poderiam encobrir a seriedade do espaço. Estávamos na unidade de oncologia infantil. De qualquer ponto, podíamos ver uma criança sem cabelos. À primeira vista, muitas vezes era impossível dizer se eram meninas ou meninos. É a realidade brutal da terapia contra o câncer, e essa realidade me deixou muito perturbado.

Clayton, no entanto, parecia perfeitamente à vontade. Os cães tratam a doença e a saúde com a mesma consideração. Seu rabo continuava a abanar quando começamos nossa visita. A reação à presença de Clayton foi memorável – como a presença de uma freira num jogo de futebol americano. Todos os olhares se voltaram para Clayton. Todas as conversas foram interrompidas, todas as canetas e todos os prontuários médicos caíram. As pessoas paravam quando ele passava. Clayton andava como um cão, mas era saudado com o amor de um santo carregado numa procissão.

Clayton sabia parar diante de cada porta. Antes de entrar, sua adestradora olhava para confirmar se um dos pais estava ali para autorizar a visita. Infelizmente, algumas crianças estavam doentes demais para ver qualquer pessoa ou animal.

Na primeira porta, lemos o nome do menino internado: Rafael. Ele estava recostado sobre a cama. Não tinha cabelos nem sobrancelhas. Não havia ninguém no quarto com ele, mas devido à gravidade da sua saúde também não poderíamos entrar. Assim, Greer bateu de leve no vidro da porta e Rafael olhou através das grades metálicas laterais da sua cama. Clayton, pronto para seu close-up, ergueu-se alto sobre as pernas traseiras, e Greer pegou sua pata para acenar através do vidro. O menino acenou de volta e sorriu. Clayton e Rafael continuaram a acenar um para o outro por um bom tempo.

O sorriso do menino não foi de surpresa, mas de serenidade, como se, em sua memória, os cães já tivessem acenado para ele antes. Greer enfiou a mão no bolso e tirou um saquinho plástico, que continha fotos de Clayton. Ela entregou uma delas para uma enfermeira que assistia à cena. A enfermeira abriu a porta, entrou e presenteou Rafael com uma foto. Ela saiu do quarto enquanto o menino contemplava a foto. Então, com todos nós reunidos com Clayton diante da porta, Rafael colocou a foto nos lábios e a beijou com ternura – e nós todos sentimos um nó na garganta.

Depois de caminharmos alguns metros pelo corredor, entramos no quarto de Louise, uma menininha de cerca de 10 anos, que estava deitada na cama. Sua mãe, que estava sentada ao seu lado, autorizou a visita. Além dos cabelos, a menina também tinha perdido a expressão. Brincava sozinha com um videogame; o olhar inexpressivo indicava a total falta de ânimo. No momento em que Clayton entrou no quarto, no entanto, ela renasceu.

Louise sentou-se na cama e colocou as mãos sobre a boca, para encobrir o som que fez. Suspirou de alegria diante da aproximação de Clayton. O cão sentou-se ao lado da cama, esperando por instruções. Um lençol foi estendido na cama de Louise. Clayton saltou e deitou-se aos pés da menina. Louise começou a acariciá-lo.

Como é interessante como nos relacionamos com os animais, em especial com os cães, acariciando-os inconscientemente. Sem dúvida, não é algo que faríamos casualmente com outros seres humanos. Os cães, sem nenhum motivo aparente, parecem pôr abaixo as barreiras para a intimidade.

Enquanto Louise acariciava Clayton, começou a falar sobre a saudade que sentia do seu cão. Clayton estava gostando dos afagos da menina, e pousou com suavidade a cabeça sobre os joelhos dela. Perdida em seus pensamentos na companhia de Clayton, Louise continuou a falar, num fluxo de consciência, sobre coisas que pareciam importantes naquele momento. A maior parte da conversa veio por estímulo de Greer, que tinha um profundo entendimento do poder curativo de uma simples conversa. Enquanto falava, Louise se mexia na cama para poder afagar melhor o cão. A cada centímetro que se aproximava de Clayton, mais distante ficava do videogame.

Alguns minutos depois, Clayton estava sentado com um jovem de 18 anos chamado José. Ele acariciava o cão e falava do quanto gostava de desenhar tênis. Um renomado fabricante de sapatos havia comprado alguns de seus desenhos pouco antes de ele adoecer. Senti outro nó na garganta com o tom de resignação na sua voz. Preso à cama, ligado a tubos e fios, sendo alimentado e monitorado pela mais moderna tecnologia, tudo o que José queria era desenhar tênis. Enquanto falava, não parava de acariciar Clayton.

Pelo fato de ser ator, adquiri o mau hábito de tirar conclusões. Em um filme ou no teatro, a histórias têm um arco dramático – um começo, um meio e, se for bem contada, um desfecho surpreendente. Não naquele dia. Não havia conclusão alguma para qualquer uma daquelas histórias. Clayton não estava curando o câncer – embora estivesse, por alguns momentos, trazendo alegria para a vida daquelas crianças.

Deixei Clayton no saguão do hospital depois de algumas horas de visita às crianças. Ele parecia tão animado naquele momento como quando o conhecera, algumas horas antes. Não tinha a mínima consciência dos momentos de felicidade que trouxera para pessoas tão necessitadas. Ajoelhei-me diante dele, roçando seu rosto com vontade. A ternura do seu olhar dizia tudo. Clayton não precisava de agradecimentos; ele havia feito exatamente o que qualquer cão faria.

Essa é a verdade sobre os cães. Eles não têm idéia do que fazem; no entanto, fazem grandes coisas. Sentam-se em vigília silenciosa ao nosso lado e, com pouquíssimo esforço, trazem muita alegria. Pelo simples fato de estarem ali, evocam todas as coisas verdadeiramente boas na vida: risos, amor e intimidade. E fazem tudo isso abanando o rabo.

Os seres humanos não têm cauda – nós temos sorrisos, que, quando usados apropriadamente, transmitem a mesma bondade. Foi a mensagem que levei comigo.

Decidi dar ao metrô uma nova chance; a cidade ainda parecia bem azeitada. Como era de se esperar, o trem chegou logo e encontrei um lugar para sentar; mas dessa vez ninguém esquecera o jornal. O vagão estava ficando cheio com a multidão do fim do expediente, por isso não havia espaço para eu cruzar as pernas. Sentado, fiquei olhando de um lado para o outro dentro do vagão. A maioria das pessoas olhava para a frente, não focalizando nada em particular. A maioria parecia desejar estar em outro lugar. Os olhares eram máscaras de resignação, muito semelhantes aos olhares das crianças que tinha acabado de conhecer, que também queriam estar em outros lugares. Naquele momento, ocorreu-me que, por mais que procuremos aparentar o contrário, nós, seres humanos, não somos máquinas bem azeitadas. Até certo ponto, estamos todos quebrados. O que nos liga uns aos outros é nossa disposição de aceitar essa fragilidade mútua, de aceitar que todos somos carentes. Essa ligação começa com um sorriso. Sorrir é como abanar o rabo e comunicar, num nível profundo e desarmado: "Eu compreendo."

Por isso, procurei sorrir um pouco durante a viagem do metrô rumo ao centro da cidade. Não aquele sorriso largo, vistoso, hollywoodiano da minha foto de divulgação, mas um sorriso simples, sincero, que refletia o significado das duas horas que havia passado com Clayton. Não forcei um sorriso na direção de quem quer que fosse. Apenas deixei que brotasse suavemente quando alguém me dirigia o olhar vazio. O gesto inesperado fazia alguns desviarem o olhar; outros pareciam não percebê-lo. Algumas pessoas se descontraíam e retribuíam o sorriso, mas logo em seguida viravam os olhos para o outro lado, como se estivessem revelando muita coisa de si mesmas. Talvez o exercício ficasse mais simples se eu tivesse um rabo para abanar.

Uma menininha de cerca de 4 anos ficou me observando, tentando imaginar *por que* eu estava sorrindo. Ela pareceu ter pensado no assunto por alguns instantes antes dos seus olhos começarem a brilhar. Uma jovem mãe entrou no vagão, procurando conciliar um carrinho de bebê dobrado, um bebê e duas crianças. Depois que conseguiu se acomodar, ela respirou fundo e suspirou. Era fácil perceber que havia chegado ao limite das suas forças. No momento em que ela olhou pelo corredor, sorri para que soubesse que reconhecia sua dificuldade. Ela retribuiu o sorriso, e pareceu se sentir mais aliviada. Também me senti mais aliviado.

Teria perdido esses momentos se simplesmente tivesse cruzado as pernas e enterrado a cabeça em outro jornal abandonado. Teria perdido a intimidade de um sorriso inesperado no corredor do vagão. Teria ficado sentado ali, com meu afeto tão profundamente adormecido como havia ficado a minha perna na viagem de ida. Em vez disso, senti uma ligação estranha, maravilhosa. Era uma ligação com um entendimento mais profundo sobre o que é importante. Como Clayton, não estava ali para curar, mas para oferecer bem-estar. É uma ironia maravilhosa o fato de que, em nossa empatia com os outros, nos sintamos melhores.

Uma hora mais tarde, quando cheguei em casa, Betty e Scoshi estavam na porta para me receber. Quando a porta se abriu lentamente, seus rostinhos apareceram na fenda, um sobre o outro. Enquanto ia entrando em casa, os dois me rodeavam, farejando num frenesi o cheiro de Clayton e do metrô de Nova York. Logo tudo se acalmou. Eles aceitaram o fato de que eu havia estado com outro cão. Os dois sentaram ao meu lado e da minha mulher no sofá enquanto conversávamos sobre os acontecimentos do dia.

Enquanto falava sobre o que a visita ao hospital havia significado para mim, fiquei fazendo carinho em Betty, que estava ao meu lado. Scoshi ficou roncando baixinho, empoleirado no alto do sofá. Fiz uma pausa para guardar uma lembrança daquele momento, e sorri para minha esposa ao perceber que nossos dois cães estavam simplesmente recomeçando de onde Clayton tinha parado.

Cada dia é um alongamento

Há uma piada entre os condutores de trenós puxados por cães que percorrem as belas vastidões geladas do Alasca que diz o seguinte: se você não for o cão-líder, o panorama nunca muda. A piada é uma forma brutal, mas honesta, de descrever os três meses da minha vida na equipe de *cross-country* do ensino médio.

Vou retroceder um pouco (que é outra maneira de descrever minha capacidade como corredor). Entrei sem querer para a equipe de *cross-country* para evitar dois outros esportes: futebol americano e futebol. Na minha escola, só de rapazes, a prática de esportes era obrigatória. Eu já havia mostrado que era um dos piores jogadores da história da escola ao integrar o time de futebol americano, por isso precisava procurar outro esporte. Para mim, um dia de treino de futebol americano significava uma lenta marcha para a morte.

O futebol era menos violento, mas não tinha aqueles enchimentos de proteção. Além disso, parecia um tanto sem graça. Você chuta a bola e corre em quatro direções diferentes, durante 90 minutos, e ainda há uma boa chance de o jogo acabar empatado.

A escola nunca havia tido uma equipe de *cross-country*. Ela surgiu quando eu estava no segundo ano. Um novo esporte, eu pensei, perfeito! Nenhuma expectativa, nenhum recorde a quebrar. Poderíamos ser individual e coletivamente medíocres, e ninguém se importaria, pois não havia coisa alguma para comparar conosco. Também não tínhamos um treinador. Ou melhor, tecnicamente falando, nós tínhamos um treinador, mas era tão inexperiente em corridas de longa distância quanto os vinte de nós que constituíamos a equipe.

No primeiro dia de treino, o técnico Doyle nos presenteou com nossos tênis de corrida. Tênis para pistas de atletismo. Para ser exato, eram tênis para corridas de curta distância, apenas com um acolchoamento mínimo sob os dedos e as solas dos pés, e em nenhuma outra parte. Logo descobrimos que não conseguíamos correr apoiados nas plantas dos pés por muito tempo. Os tênis eram feitos para corridas de 100 metros, e não de 5 mil metros. Representavam o oposto da finalidade, exatamente como prender o anzol na boca e jogar a vara e o molinete na água. Só quando participamos da nossa primeira competição, quando o técnico do outro time chamou de lado o técnico Doyle, soubemos que estávamos usando os tênis errados.

Para mim, isso não tinha a menor importância. Poderia ter dispensado o tênis e corrido com a caixa em que vieram. Eu era um inepto. Em nosso primeiro treino, tivemos que correr os 5 mil metros de ida e volta até a caixa d'água. Na altura dos 400 metros, eu já estava sentindo falta de ar, e fiquei tão para trás que não fazia sentido correr todo o percurso. Quando todos passaram por mim, na volta, eu simplesmente entrei no fim da fila para completar a corrida.

A situação não melhorou muito. Nas três semanas seguintes, correr ficou um pouco mais fácil, mas eu não tinha resistência. Você nem imagina como eu me saía nas competições. Chegava em último lugar em quase todas as corridas. Às vezes, virava o pescoço e via alguém da equipe adversária atrás de mim. Sentia uma empatia verdadeira, como se devesse parar de correr e esperar que o adversário me ultrapassasse. Terminar em último ou tentar terminar em último não eram glórias diferentes.

Nunca me veio à mente que uma corrida de longa distância exigia alongamento, tanto antes quanto depois do treino. Eu tinha a flexibilidade de uma batatinha chips. Depois do nosso primeiro treino de 5 mil metros, meus músculos e panturrilhas ficaram tão duros que tive de sentar na escada de casa e subir lentamente, um degrau por vez, usando o traseiro, para chegar ao meu quarto. Na manhã seguinte, minhas pernas estavam totalmente estiradas. Meus joelhos não dobravam. Eu precisava erguer o quadril e jogar as pernas para a frente para me mover. Andava como se estivesse usando uma fralda suja.

Foi, sem dúvida, um momento frustrante em minha jovem existência. Fui surrado no campo de futebol americano e agora era o fracote da equipe de *cross-country*. Detestava correr, e estava começando a detestar esportes em geral.

Curiosamente, nessa época, tínhamos uma springer spaniel inglesa chamada Ding, que adorava correr. Adquirimos a cadela de um criador quando tinha 6 meses. Quando chegou, tinha um nome um tanto estranho, registrado no AKC: Champion Tara's Jingle. "Ding" parecia ser um nome muito melhor. Acho que ela foi o cão mais bonito que já vi. Com manchas pretas e brancas, e uma cabeça de formato perfeito, representava as melhores qualidades de sua raça. Os olhos suaves e escuros eram sempre dóceis mas alertas. Os pais eram ambos campeões da raça. O "Champion" na frente do nome de registro celebrava sua linhagem. Lembro ter ficado muito impressionado com isso, como se tivéssemos adotado uma aristocrata.

Ding era um pouco menor do que os outros exemplares de sua raça. Também tinha problemas para controlar a bexiga, o que fazia com que se agachasse e urinasse quando ouvia uma voz grave, principalmente a do meu pai. Esse hábito, junto com sua constituição mais compacta, reduziram em muito as possibilidades de uma carreira promissora no mundo das exposições caninas.

Como já disse, havia uma coisa que Ding adorava fazer e eu não: correr. Pela natureza da raça, os springers spaniels ingleses são cães de caça. Têm velocidade espantosa, sendo capazes de fazer as aves voarem em suas corridas em campo aberto. Ver Ding ganhar velocidade e atingir sua plena passada não era vivenciar um esporte, mas a verdadeira beleza da corrida. A cada passada, o dorso se contraía e expandia, e as pernas dianteiras alcançavam a extensão máxima. Também fazia algo característico de sua raça: ao alcançar sua velocidade máxima, erguia a cabeça. As orelhas pretas e pendentes planavam no ar e se nivelavam. Quando atingia a altura máxima num salto, "parava" no ar. Flutuava por um segundo, como se suspendesse o tempo e a gravidade, e depois voltava à terra numa passada larga. Além de bonita, Ding se movimentava com a graça e elegância que eu jamais tinha visto.

Ding tinha nascido para correr. Era óbvio que eu, não. Mas, certa noite, depois do jantar, decidi jogar uma bola de tênis para Ding apanhar no quintal. Fiel às suas origens, pegar uma velha bola de tênis jogada no mato era a melhor coisa da vida. Ding corria desviando das árvores, saltava e ficava suspensa no ar. Desaparecia no meio da vegetação verdejante e viçosa por alguns momentos e depois saltava de novo quando encontrava o prêmio. Voltava correndo para mim, deixava a bola de tênis amarela empapada aos meus pés, depois se erguia sobre as patas traseiras e latia até que eu jogasse a bola outra vez.

Essa noite específica veio depois de outra espetacular chegada em último lugar, naquela tarde, numa competição entre cinco escolas em Springfield, Massachusetts. Já é ruim chegar em último contra um único adversário, mas quando não há ninguém mais lento do que você em *cinco* escolas, você sente que o universo respirou fundo para emitir um juízo decisivo e conclusivo: realmente, você é um caso perdido.

Estava perdido nos meus pensamentos sobre a vergonha daquele dia enquanto lançava para Ding, pela centésima vez, a bola agora quase triturada, quando tive uma idéia. Eu pensei: e se fizesse de conta, apenas por um dia – num treino apenas – que podia correr como Ding, sem pensar em nada, correr pelo puro prazer de correr? Como seria correr a toda velocidade, sem me cansar, na frente de todos? Afinal, eu era um ator; tinha de ser capaz de me imaginar como o maior corredor de todos os tempos: "Ding-por-um-dia" O'Hurley.

Mal pude esperar pelo treino de *cross-country* do dia seguinte. Foi como se tivesse despertado para um novo objetivo. Naquela tarde, em vez de corrermos em campo aberto, estávamos trabalhando numa pista de cascalho. Não me lembro do motivo técnico para isso, mas não tinha muita importância. Fui para a pista me sentindo perigoso, como um homem sem nada a perder, um homem pronto para um acerto de contas. Estava mais relaxado do que nunca. Eu não falei com ninguém para não atrapalhar minha concentração. Na minha cabeça, criei um tema musical, um hino tocado com corneta, que encerraria os jogos olímpicos. Cantarolei baixinho esse tema no ritmo do meu andar afetado e fiquei esperando que a equipe se reunisse na linha de partida. Eu até me apresentei para um público imaginário e agradeci o rugido fantasma da multidão com um aceno de cabeça. Depois, me dirigi para a marca de cal da pista. O técnico Doyle indicou o ponto de partida e deu o tiro da largada.

Vou me lembrar dos primeiros dez passos para o resto da minha vida. Foram longos e potentes. O cascalho cinzento sob meus pés rangia com um som que jamais tinha escutado. Aqueles dez passos me colocaram na frente do pelotão pela primeira vez. Era a visão a respeito da qual os condutores de trenó faziam piada. Era uma visão desimpedida e clara; era tudo o que eu queria. A partir desse momento, não ia deixar que nenhum adversário me ultrapassasse. Minha mente e meu corpo estavam estimulados pela adrenalina. Sentia cada passo conectado com minha essência. Estava correndo como Ding.

O técnico Doyle ainda estava na linha de partida quando nos aproximamos para completar a primeira volta. Eu ainda estava na frente, forçando cada passada. O resto do mundo estava atrás de mim. Se eu tivesse dado à luz naquele momento, a surpresa no rosto do técnico não seria maior.

Liderei a segunda volta, sem vontade de renunciar à liderança ou à experiência. Na minha cabeça, eu estava entoando meu tema musical enquanto um locutor imaginário secava a testa e afrouxava o nó da gravata devido à empolgação. Até o ar que entrava em meus pulmões tinha um cheiro diferente. Era um ar que ninguém tinha respirado até então, com um perfume que apenas o líder poderia desfrutar.

No final da terceira volta – a metade da corrida de 5 mil metros – a poesia do momento deu lugar aos caprichos das leis da física. Os melhores corredores da nossa equipe, que estavam cadenciando sua corrida até então, começaram a alongar o passo e a diminuir a diferença. No momento em que passamos pelo técnico Doyle ao completar essa volta, meu ritmo começou a cair, e o grupo de elite dos melhores corredores começou lentamente a me rodear.

Ainda não estava liquidado. Afinal, era a minha fantasia, não a deles, e eles ainda não tinham visto meu terceiro ato. De repente, simplesmente mudei de objetivo. Em vez de correr sozinho na frente, eu iria correr junto do grupo de elite dos corredores, com tanto orgulho quanto se fosse um deles. Se Ding conseguia encontrar motivação para correr atrás da mesma bola de tênis cem vezes, então, sem dúvida, eu poderia recriar alguma imagem inspiradora para me inspirar mais um pouco.

Agüentei duas voltas correndo junto deles. Faltava uma volta. Nessa hora, minhas pernas pareciam ter a consistência de uma ricota, meus pulmões estavam produzindo um sonoro som de sucção e minha cabeça visivelmente balançava da esquerda para a direita. Na última volta, o grupo de elite se adiantou. Fiquei irremediavelmente para trás, uma espécie de segundo estágio de um foguete que acabara de ser descartado. Em vez dos melhores corredores, agora estava cercado pelo grupo dos que correm de modo razoável.

Terminei a corrida numa louvável posição intermediária, dentro da distribuição normal. Nem em primeiro lugar, nem em último. Naquele dia, outro membro da equipe teria que agüentar a visão reservada ao último "cão do trenó". Não ficaria surpreso se sua vida tivesse se transformado num inferno a partir de então.

A corrida não havia durado mais do que 25 minutos, mas, para mim, pareceu uma vida. De algum modo, talvez fosse mesmo uma vida. Sempre chegava em último lugar, mas agora sabia o que era estar em primeiro.

A experiência não passou desapercebida pelo técnico Doyle, que me felicitou efusivamente pelo meu esforço. Acho que ainda estava me recuperando da falta de oxigênio quando murmurei uma resposta para seus elogios. Continuei correndo na equipe até o final da temporada de outono. Nunca ganhei, mas nunca voltei a ficar em último lugar.

O mais importante, no entanto, é que aprendi a lição. Fui capaz de mudar meus resultados mudando meu modo de pensar. Se corria como um perdedor era porque pensava como um perdedor. Ding corria daquela maneira tão bela porque gostava de correr.

Também aprendi outra lição a partir dessa experiência, talvez mais duradoura. É uma lição que, desde então, Ding e todos os cães têm compartilhado comigo. Eles se alongam. Todos os cães fazem isso, jovens e velhos.

Claro, Ding e eu tínhamos diferenças físicas evidentes. Ela havia sido esculpida com músculos longos e resistentes. Eu era quase tão flexível quanto um lápis. Todas as manhãs, ao acordar, ela se erguia sobre os quadris e alongava as pernas dianteiras e o pescoço o máximo possível. (Em ioga, esse movimento se chama Postura do Cachorro Olhando para Baixo, que, suponho, usam sem permissão.) Depois, ela sacudia a cabeça para soltar os músculos do pescoço e dos ombros. Em seguida, deitava-se de costas, rolando de lado a lado para alongar a região abdominal.

Quem ensinou Ding a fazer isso? Quem a mandou sentar e disse: "Olha, você é um cão; os cães correm, por isso talvez você devesse se alongar." Ninguém. Os filhotes se alongam desde o primeiro instante depois do primeiro cochilo, e não param de se alongar durante toda a vida. Hoje em dia, Scoshi é um maltês de 15 anos, e manca por causa da artrite como um velho jogador de futebol americano. No entanto, todas as manhãs, na cama, ele pula do travesseiro, passa pelo lugar em que minha mulher está dormindo e pratica dois minutos de ioga canina.

Os cães compreendem o próprio corpo porque são, por natureza, criaturas físicas. Condicionam o corpo porque precisam dele. Os seres humanos não fazem isso. Nascemos com uma flexibilidade que nos permite pôr os pés dentro da boca. Quando bebês, conseguimos nos curvar e nos ajustar a qualquer posição. Quando jovens, modelamos nosso corpo para as atividades esportivas. Depois que alcançamos a idade adulta, porém, a natureza física parece se tornar menos importante. Ficamos mais cerebrais e menos físicos. Ao mesmo tempo, a gravidade e o envelhecimento se combinam para lentamente curvar nosso corpo e encurtar nossos músculos. Um em cada três adultos fica obeso depois dos 20 anos – não barrigudo, mas obeso! Aos 40 anos, apenas um em cada dez adultos é capaz de se curvar e tocar os dedos do pé. A corrida e a prática de esportes da nossa juventude é substituída por uma caminhada até o carro e um puxão no cinto segurança, ou por um toque no mouse.

Embora os cães sofram das mesmas doenças degenerativas que nós, como artrite e problemas circulatórios, raramente, ou nunca, se ouve falar de um cão que rompeu ou distendeu um músculo. Por instinto, eles mantêm a flexibilidade, e a conseqüência é uma velhice muito mais ativa. Com 15 anos de idade (levando-se em conta a proporção de sete anos para um na relação entre a idade humana e a canina), Scoshi já é centenário. No entanto, todos os dias, ele faz uma caminhada vivaz pela Broadway, com passos rápidos, mancando um pouco, apenas alguns passos atrás de Betty. Depois que terminamos a caminhada noturna, solto suas guias no elevador. Quando a porta abre, eu grito: "Onde nós moramos? Onde nós moramos?" Betty sai correndo pelo corredor e desaparece até encontrar a porta certa. Scoshi segue logo atrás, carregando todos os seus 100 anos, correndo o mais rápido possível. (Para um cão, não existe divertimento maior do que encontrar a porta da própria casa.) Não sei quantos homens de 100 anos poderiam acompanhar o ritmo dos dois.

Hoje em dia, acho que a atitude e a capacidade de Scoshi se tornaram meu objetivo de vida. Aos 100 anos, também quero ser capaz de correr pelo corredor (com minha mulher a reboque) e encontrar minha porta. Quero ser um velho incansável, perseguindo velhas bolas de tênis e também bolas de golfe. Já não é tão importante a posição em que termino a prova. Hoje em dia, ajusto meu ritmo em uma esteira e não me preocupo mais se todo o time de *cross-country* já estiver dentro do ônibus esperando que eu termine. Já não é tão importante *como* corro, mas sim *que* eu corra, e que goste da vista.

Essa é a mensagem de Ding e de todos os cães que já cruzaram meu caminho: a força e a velocidade podem desaparecer lentamente, mas a flexibilidade é para sempre. Essa mensagem esteve aos meus pés a minha vida inteira. Eu era simplesmente rígido demais para me curvar e enxergá-la.

Epílogo

Se os cartões de saudação nos ensinaram alguma coisa, é que o apreço fica melhor quando impresso. Por isso me parece adequado concluir estas reflexões com uma palavra de agradecimento a Betty, Scoshi, Taffy, Ding, Reagan e todas as outras preciosas criaturinhas que preencheram minha vida com amor e me inspiraram, levando a própria vida com tanta inocência.

É uma triste verdade o fato de que a maioria dos professores que nos inspiraram nunca vê os frutos do que semeou. As lições de hoje muitas vezes adquirem um significado mais profundo muito tempo depois, longe do alcance dos olhos. Também é verdade que a maioria dos professores não tem consciência do que está realmente ensinando, de que as palavras e ações mais simples podem às vezes ensinar e esclarecer mais do que todas as aulas dadas.

Na mesma escola que foi palco de todos os meus pesadelos esportivos, na mesma escola que foi cenário das minhas desilusões amorosas, havia um professor chamado Driscoll, que lecionava inglês. Ele estava sempre finamente trajado: blazer de lã, calças de flanela e gravata, como um cavalheiro. O professor Driscoll nos fazia ler em voz alta os textos literários que ensinava, especialmente as peças teatrais. Ele distribuía os papéis entre nós, incluindo os femininos – embora todos fossem desempenhados por garotos adolescentes. Ninguém propunha qualquer caracterização para o que lia. Ninguém atribuía qualquer significado para as palavras proferidas ou elevava a voz além de um tom enfadonho e inexpressivo. Ninguém, exceto eu. Afinal, eu era ator (pelo menos, na minha cabeça), e aquela pequena sala de aula em Connecticut foi um palco tão importante para mim quanto qualquer outro. Eu trabalhava cada fala e saboreava cada nuança.

No final de uma aula, em uma tarde de fevereiro, depois que tínhamos acabado de ler a comédia clássica *Nossa vida com papai*, o professor Driscoll pediu que eu permanecesse na sala. Eu me lembro da fria sensação de ansiedade misturada com a fraca luminosidade do inverno atravessando a janela, enquanto via meus colegas saírem. Após um momento de silêncio, o professor Driscoll, de sua mesa, ergueu os olhos e me disse que tinha gostado muito da minha atuação. Disse que eu era muito bom e que devia fazer o teste para a próxima peça da escola. Então, como a mesma expressão prosaica, ele me dispensou.

Eu me lembraria daquele momento pelo resto da minha vida. Foi a primeira vez que alguém me estimulou a ser ator, e também a última.

Meus cães têm algo em comum com o professor Driscoll. Ele não sabia que suas palavras mudaram uma vida, dando-lhe uma direção. E, ao sentar sobre meu ombro quando estamos no sofá, posição que lhe permite ver o mundo inteiro, Scoshi não tem idéia do que significam nossos 15 anos juntos. Ele me ensinou a latir quando necessário e a latir sempre a verdade; a ser grato por todas as refeições e cada momento, e pela abundância que representam. Ele me ensinou a nunca temer uma cara feia numa cerca e a nunca perder uma oportunidade de cochilar. Em troca, ensinei-lhe alguns truques e a dirigir um carro. Foi tudo.

Betty me ensinou que se você saltar, a rede vai surgir; que se você abanar o rabo, isso fará bem para todo mundo; e que cada momento pode mudar sua vida. Neste instante, ela está muito ocupada brincando com o Homenzinho Amarelo para lembrar dessas lições.

E há também os que já se foram – Taffy, Ding e agora Reagan. Eles também têm um lugar em minha vida. Taffy demonstrou que expressamos melhor a compaixão quando ouvimos. Com Ding aprendi a correr com meu coração e não com minhas pernas. Reagan me ensinou que quando você aprende que é digno de amor, alguém sempre vai querer acariciá-lo.

Nunca tive a chance de agradecer ao professor Driscoll pessoalmente, embora tenha falado sobre ele num discurso que fiz alguns anos atrás. Na platéia, um jornalista perspicaz anotou meus comentários e os colocou num artigo de jornal. De alguma maneira, o artigo chegou até o professor Driscoll, que havia muito tempo trocara a região de Connecticut por outra escola em Long Island. Ele me mandou uma carta tocante, agradecendo-me pelas palavras amáveis que dediquei a ele em meu discurso. O professor Driscoll se lembrava de mim como estudante, mas não se recordava das palavras de estímulo.

Por isso procuro não cometer o mesmo erro com meus cães. Eles pedem tão pouco em troca do que oferecem, e no entanto oferecem muito, e em silêncio.

Isso me motiva a fazer uma pausa, e lembrar o verso do poema que escrevi aos 16 anos:

Sou daqueles a quem toquei, e o melhor do que eles são.

E eu estava certo.

Créditos das fotos

p. 2 e 160: John Kelly/Getty Images
p. 8: Pat Powers e Cherryl Schafer/Getty Images
p. 12: Neo Vision/Getty Images
p. 24: George Doyle/Getty Images
p. 42: Kane Skennar/Getty Images
p. 56: GK Hart/Vikki Hart/Getty Images
p. 70: LWA/Getty Images
p. 82: Matthias Clamer/Getty Images
p. 96: Image Source/Getty Images
p. 110: DAJ/Getty Images
p. 120: David Allan Brandt/Getty Images
p. 132: Jeffrey Sylvester/Getty Images
p. 146: Lisa M. Robinson/Getty Images

Sobre o autor

Ganhador de diversos prêmios, apresentador de tevê, compositor e escritor – e apaixonado por cães durante toda a vida –, o ator John O'Hurley é uma das personalidades televisivas mais atuantes e versáteis. Desde 2002, ele apresenta o *National Dog Show*, da rede NBC, programa patrocinado pela Purina®. Em 2005, conquistou o público americano como último vencedor do programa campeão de audiência da rede ABC, *Dancing with the Stars*. Também foi escolhido como um dos homens mais sexy do mundo pela revista *People*. Ele ficou muito conhecido por seu desempenho como o estranho e espirituoso personagem J. Peterman, em *Seinfeld*, e pela voz de personagens populares de desenhos animados, como o Rei Netuno, em *Bob Esponja*. Em 2006, estreou na Broadway, no papel de Billy Flynn, principal personagem masculino de *Chicago*. Atualmente, apresenta o programa de tevê *Family Feud*.

Quando não está atuando, John mantém a forma participando do Celebrity Players Tour e de outros torneios de caridade. Ele mora em Los Angeles com a mulher, Lisa, e seus dois cães, Betty e Scoshi.

Este livro foi composto
em Granjon e impresso pela
Vida e Consciência sobre
papel Pólen Soft 80g para a
Ediouro em janeiro de 2008